LABYRINTHES

Patrick Weber est né à Bruxelles. Il vit aujourd'hui entre Bruxelles, Paris et Rome. Après des études d'histoire de l'art et d'archéologie, il se dirige vers une carrière de journaliste en presse écrite et à la télévision. Parallèlement, il publie des romans historiques, scénarise des films et des bandes dessinées. Le point commun de ses activités est sa passion pour l'art et l'histoire.

Du même auteur,
dans la même collection

Pieter Linden

La Vierge de Bruges
L'Ange de Florence

Apollonios

Des Ombres sur Alexandrie
Les Dîners de Cléopâtre

www.lemasque.com

PATRICK WEBER

LA VIERGE
DE BRUGES

ÉDITIONS DU MASQUE
17, RUE JACOB 75006 PARIS

ISBN : 978-2-7024-3489-5

Principaux personnages historiques

Hans Memling (1435-1494) : peintre d'origine allemande établi à Bruges

Tanne de Valkenaere (meurt en 1487) : épouse de Memling

Tommaso Portinari (1432-1501) : banquier florentin représentant les intérêts des Médicis à Bruges

Principaux personnages romanesques

Pieter Linden : jeune apprenti de Hans Memling

Dirk : neveu de Memling

Hans Van den Bosch : premier élève de Memling

Baert : homme à tout faire de Memling

Magda De Visch : gouvernante de Memling

Maximiliaan Dorst : oncle de Pieter Linden et aubergiste

Emma : jeune serveuse de Maximiliaan

Lorenzo Rienzi : fils d'un riche banquier florentin

Leonardo : homme d'armes et meilleur ami de Rienzi

Bartolomeo : domestique de la famille Rienzi

Alessandro : secrétaire particulier de Portinari

Jan Demeester : riche négociant en draps brugeois

Prologue

Les polders, 1475.

L'hiver avait été rude cette année-là, plongeant toute
la région sous un ample et sourd manteau blanc qui
avait semblé suspendre la course du temps. Pourtant,
une fois de plus, le printemps avait vaincu les frimas, et
la nature reprenait ses droits en faisant reverdir les polders[1] qui enchâssaient une perle de pierres et de briques
rouges qu'on appelait Bruges la belle.

La jeune fille goûtait plus que toute autre distraction
ces promenades en dehors des murs de la ville, quand le
soleil commençait à décliner. Le lent manège des vaches
qui paissaient dans les champs environnants constituait
pour elle un spectacle d'une beauté sans pareille, de
nature à apaiser toutes ses craintes et retarder toutes
ses interrogations. Son attention fut attirée par deux cor-
beaux qui se disputaient âprement la carcasse d'un petit
mulot, dont la vigilance avait été mortellement trahie
par les premiers rayons du soleil de mars. Elle se voyait
à la place du malheureux animal, déchirée entre des intérêts qui la dépassaient, sacrifiée sur l'autel de la stricte
observance des convenances. Jadis, elle aussi avait été
séduite par les jeunes rayons d'un soleil trop chaud qui

_____
1. Marais littoraux asséchés.

lui avait rapidement brûlé les ailes. Ensuite était venu l'hiver, un très long et très pénible hiver. Aujourd'hui, elle s'était résignée à accepter le destin qu'on lui avait façonné pour le bien commun et, probablement aussi, pour son bien personnel. Elle accepterait ce mariage et resterait fidèle à la ville qui l'avait vue naître, une ville placée par la Providence entre le ciel, la terre et l'eau, une ville qu'elle ne se lassait pas d'admirer. Qui mieux que Bruges, ouverte sur le monde, et ses richesses pouvait abriter les rêves d'une jeune femme à la beauté fraîchement éclose ?

Elle perçut des cris et des rires qui fusaient non loin du grand moulin à vent communal. En regardant les trois femmes qui revenaient des champs, elle songea que ce lieu qui était encore il y a quelques jours totalement désert, reprenait vie à mesure que le soleil printanier faisait reculer la rigueur hivernale. Le temps était venu de rentrer à la maison, où l'on ne manquerait pas, une fois de plus, de lui faire remarquer qu'il était dangereux pour une jeune bourgeoise de se promener seule à cette heure du jour hors des murs de la ville, mais elle avait l'habitude des remontrances et savait les ignorer quand elle avait choisi de fuir sa prison dorée. Elle s'assit au bord du petit canal qui irriguait les polders pour saluer le jour qui s'en allait ; elle étira les bras et emplit ses poumons du bon air en se disant que, peut-être, le bonheur résidait là et que la vie n'était pas aussi cruelle qu'elle le croyait quand elle se sentait d'humeur mélancolique. Elle s'apprêtait à remercier Dieu pour tous ses bienfaits quand elle sentit une intense pression s'exercer autour de son cou. Le geste à la fois bref et d'une violence inouïe ne lui laissa même pas le temps de réagir ni de pousser le moindre petit cri. Elle offrit son dernier regard à ce soleil qu'elle avait tellement attendu et qui l'avait accompagnée jusqu'au soir de sa trop courte vie.

À quelques mètres du drame qui venait de se jouer, les vaches continuaient à paître tranquillement, tandis que les femmes, tout à leurs rires, hâtaient le pas pour rejoindre la ville avant que le jour ne s'achève. Le printemps promettait d'être généreux pour Bruges la belle.

1

— *Heer !*

« Le jour s'est déjà levé, et j'ai pourtant l'impression que je viens à peine de me coucher. »

Réveillé par le cri de sa logeuse, Mme De Coster, le jeune homme se redressa en un instant dans son lit ; il avait beaucoup de peine à garder les yeux ouverts, tant le flot de ses pensées continuait à s'agiter quelque part entre le royaume des rêves et le monde du réel…

« Après tout, je ne peux m'en prendre qu'à moi-même, je n'aurais pas dû forcer sur la bière hier soir. Enfin, ce n'est pas tous les jours que l'on fête son embauche dans l'atelier très réputé de *messer* Memling. À Bruges, tout le monde le connaît, et sa réputation dépasse même les murs de la ville. On affirme qu'il est un des peintres les plus fameux de notre époque. Si je lui donne satisfaction, le simple fait qu'il ait consenti à m'engager devrait me garantir un avenir brillant.

Quoi qu'il en soit, ce n'est pas en arrivant en retard le premier jour de travail que je me ferai apprécier par le maître. D'autant plus qu'un client important arrive aujourd'hui ; on raconte qu'il s'agit d'un riche négociant venu spécialement de Florence pour bénéficier du savoir-faire de Memling. »

Le temps de ruminer toutes ces pensées, Pieter avait réussi à enfiler son vêtement, ajuster ses chausses et bondir hors de la maison. Heureusement, la petite chambre qu'il louait depuis qu'il avait quitté le logis familial ne se trouvait pas très loin de la Sint-Jorisstraat, la rue où se situait la grande demeure de pierre de Memling. Le quartier était particulièrement prisé par les artistes, principalement les peintres et les miniaturistes et, parmi eux, l'enlumineur très renommé Willem Vrelant.

En 1475, Bruges était encore au faîte de sa gloire, et ce malgré la guerre économique sans pitié qui opposait la Flandre, l'Angleterre et les prospères cités germaniques de la Hanse. La ville s'était enrichie grâce à son commerce et attirait bon nombre d'artistes assurés d'y trouver une clientèle aisée, qui paierait sans trop se faire prier les œuvres commandées. La puissante abbaye des Dunes de Coxyde et les banquiers florentins les plus influents encourageaient la production artistique et favorisaient l'émergence d'un nouveau type d'art, empreint de douceur et de retour à l'antique. Si Hans Memling était devenu un bourgeois respecté, membre de la prestigieuse confrérie de Notre-Dame-des-neiges – à laquelle appartenaient aussi le duc de Bourgogne Charles le Téméraire ou l'un de ses concurrents les plus réputés, le peintre Petrus Christus[1] –, il n'en était pas moins un Brugeois d'adoption, originaire de Seligenstadt, une petite ville du diocèse de Mayence, située non loin de Francfort.

Pieter Linden était en revanche un Brugeois pur jus. Contre l'avis de ses parents, il s'était lancé dans une carrière de peintre alors qu'ils le destinaient au commerce, une activité certes moins prestigieuse mais beaucoup plus sûre pour assurer les vieux jours. Après la disparition de sa mère, son père, meurtri par le chagrin, avait

---

1. Né en 1420, mort en 1473.

fini par se laisser fléchir et ne s'était plus opposé à ce choix, qu'il continuait cependant à regretter au plus profond de lui-même.

En arrivant à la demeure du maître, le jeune homme tâcha de prendre un air faussement dégagé. Il ne voulait à aucun prix donner le sentiment d'être nerveux, même si son cœur avait choisi cet instant précis pour tirer cent coups de canon dans sa poitrine. Quand la porte s'ouvrit, il songea que cette canonnade viendrait bien à point pour franchir le barrage que lui opposait un colosse, un géant qui semblait taillé dans un chêne, et dont la cordialité égalait celle de ces ours que l'on exhibait les jours de fête devant le beffroi communal.

— Qui es-tu ? La maison ne reçoit pas les mendiants et les colporteurs. Nous avons tout ce qu'il faut.

— Excusez-moi, *mijnheer*, je suis attendu…

L'ours fit de gros yeux et grogna encore plus fort.

— Ça va, je connais la rengaine ! Depuis que le maître est connu, nombreux sont ceux qui essaient d'abuser de sa trop grande générosité. Heureusement, Baert est là pour faire régner la tranquillité dans cette maison.

— Mais je vous assure que je viens travailler ici, c'est mon premier jour.

— Prends garde, gamin, tu commences sérieusement à m'agacer, et je pourrais me fâcher…

— Laisse-le entrer, Baert, et va t'occuper des préparatifs pour accueillir le sieur Rienzi, il n'y a pas de temps à perdre.

L'homme qui venait de mettre un bémol au zèle du colosse était richement habillé et paraissait dans la force de l'âge. Il semblait calme, même si une expres-

sion légèrement agacée trahissait une certaine préoccu-
pation.

— Veuillez l'excuser, monsieur Linden – c'est ainsi
que vous vous nommez, non ? Toute la maison est un
peu sur les nerfs aujourd'hui, car nous attendons d'un
moment à l'autre un important client italien et sa suite.
Vous êtes ici chez moi.

Ainsi, l'homme qui lui parlait avec autant d'affabilité,
tout en remettant en ordre les fleurs fraîchement cou-
pées dans le vase de l'entrée et en renvoyant le molosse
à sa niche, n'était autre que le grand Memling, son nouveau maître.

— Bienvenue dans ma maison. Suivez-moi, je vais
vous montrer où vous allez travailler.

À son grand étonnement, Pieter n'était pas impressionné par cette rencontre qu'il redoutait tant quelques
instants auparavant. Le peintre lui donnait même
l'impression d'être plus mal à l'aise que lui, comme si
son esprit était ailleurs.

Perdu dans ses pensées, Pieter suivit machinalement
son nouveau maître, qui le conduisit à l'atelier situé
dans une bâtisse adjacente au corps de logis principal.
Trois assistants et un élève s'y affairèrent d'autant plus
en sentant la présence de Memling dans la pièce. Avant
de prendre congé, le peintre présenta rapidement Pieter
à ses nouveaux collègues et lui confia comme première
tâche de nettoyer les pinceaux et de les ranger par ordre
de grandeur. Les autres firent semblant de ne pas se préoccuper du nouveau venu, mais leur mine contrariée
trahissait la gêne qu'occasionnait l'arrivée d'un intrus
dans leur univers.

Tandis que Pieter s'appliquait à rassembler consciencieusement les pinceaux usagés pour les laver avant

de les classer, une matrone sévère fit irruption dans la pièce. D'une stature imposante, vêtue à l'ancienne et la chevelure retenue dans un foulard noir, elle ne semblait pas être de ces femmes qui ont pour habitude d'écouter les ordres que leur donnent les hommes en baissant la tête.

— Où est le nouveau ? rugit-elle.

Aussitôt, tous les regards convergèrent vers Pieter, qui rougit plus encore que la brosse vermillon du pinceau qu'il était en train de rincer.

— Suis-moi, il faut régulariser ta situation. Et les autres, continuez le travail ! Ce n'est pas parce qu'un étranger débarque ici en terrain conquis que la maison doit s'arrêter de tourner. Par la Sainte Vierge, que se passerait-il si je n'étais pas là ?

Ce fut la première rencontre de Pieter avec l'impressionnante Magda, la fidèle intendante de Memling, et l'apprenti ne put s'empêcher de songer que le peintre nourrissait une certaine prédilection pour les cerbères quand il s'agissait de le servir…

Totalement dévouée à son maître, Magda sortait très rarement de la maison et veillait à ce que tout y soit toujours en ordre en ne relâchant jamais son attention. Maîtresse femme, elle ne tolérait aucun laisser-aller dans les tâches quotidiennes.

En ce qui concernait les formalités, Pieter comprit rapidement qu'il s'agissait surtout de répondre à un interrogatoire serré.

— D'où viens-tu ?

— Mon nom est Pieter Linden, et je suis citoyen de Bruges. Je suis né dans le quartier du *Markt*[1], où habi-

_____

1. Le marché.

tait ma famille. Ma mère est morte il y a bientôt deux ans, et mon père voyage pour ses affaires.

— Comment as-tu été engagé ici ? Je constate que tu ne croules pas sous les références…

— Depuis mon enfance, mon souhait le plus cher a toujours été de devenir peintre. J'ai eu la chance d'avoir été recommandé par mon oncle Maximiliaan Dorst, un vieil ami du maître Memling.

— Ouais, notre maître est décidément trop bon. Enfin, on a toujours besoin de petites mains, mais n'imagine pas que tu es déjà engagé, tu es ici à l'essai, et nous verrons rapidement de quoi tu es capable. Sache que je sais tout ce qui se passe dans cette maison et que je ne permettrai aucune négligence. Allez, file et retourne à ton ouvrage. Il y a trop de travail ici pour perdre son temps en bavardages !

Pieter ne se fit pas prier. Il tourna les talons quand la matrone le rappela.

— Linden ! Au fait, j'ai oublié de te dire… Mon nom est Magda.

En retournant à l'atelier, Pieter était partagé entre un double sentiment. Bien sûr, il avait été impressionné par le caractère bien trempé de l'intendante, mais il ressentait également l'impression confuse de ne pas lui avoir déplu ; et sans doute aurait-il besoin d'allié dans cette maison. Il suffisait d'ailleurs de voir avec quelle froideur l'avaient accueilli ses nouveaux collègues…

En revenant à l'atelier, il comprit instantanément qu'il venait d'interrompre une discussion dont il était le sujet central. À en juger par leurs sourires en coin, il imaginait que ses collègues pensaient que l'abominable Magda avait fait son office et qu'il regrettait déjà son engagement. Pour leur montrer qu'il n'en était rien,

Pieter les gratifia d'un grand sourire et se remit joyeusement à la tâche en sifflotant une vieille chanson flamande dans un silence glacial. Mais il y avait fort à parier que les langues se délieraient de nouveau à la première occasion.

2

Le voyage semblait sans fin. *Messer* Lorenzo Rienzi avait beau avoir l'habitude de ces longs périples, il ne parvenait pas encore à tempérer son impatience naturelle. De sa terre natale florentine aux brumes du Nord, il avait pourtant réussi à mener son équipage à bon port en évitant les multiples pièges tendus aux grands voyageurs. Leonardo Sorrente, son homme d'armes, avait estourbi les deux bandits qui avaient tenté de les dévaliser dans les environs de Turin. Et il avait fallu tenir compte de la constitution fragile du fidèle valet Bartolomeo, qui ne souffrait aucune autre nourriture que celle de Florence et s'était juré de ne plus goûter de sitôt la roborative cuisine teutonne qui avait failli lui transpercer le ventre.

Et surtout, le petit équipage avait dû déployer des trésors d'adresse pour se faufiler sans dommage à travers les combats acharnés que se livraient les puissants du moment. En ces temps troublés, il n'était pas facile de parcourir l'Europe du sud au nord sans encombre.

Charles le Téméraire, le fastueux duc de Bourgogne, menait une guerre implacable contre le roi de France, Louis XI, que l'on disait rusé comme un renard et féroce comme un loup qui dévore sa proie, un monarque sans pitié et sans panache, mais dont même les adversaires les plus acharnés s'accordaient à reconnaître les talents de fin politique et un don inné pour l'intrigue. Si Louis incarnait le monde de la nuit et ses ombres inquiétantes, Charles personnifiait celui du jour et ses magnificences.

Le jeune duc de Bourgogne avait succédé à son père, Philippe le Bon, qui avait favorisé l'expansion de la Flandre dont il avait fait un centre politique et économique de premier plan. Philippe était mort à Bruges en 1467, et, un an plus tard, Charles épousait dans cette même ville la jolie princesse Marguerite d'York. Pour l'occasion, la cité nordique s'était surpassée, et l'on avait même tendu des draps d'or et de soie dans les rues ; des tapisseries ornaient l'extérieur des maisons et la liesse des bourgeois était à son comble. Le couple ducal s'était arrêté une dizaine de fois durant son cortège nuptial qui le menait de la porte Sainte-Croix au palais ducal, pour admirer les tableaux vivants de l'histoire sainte qui avaient été reconstitués. Témoin de la grandeur de la cour de Bourgogne, la suite de la procession était composée de nombreux représentants des diverses nations. Les Vénitiens portaient des torches richement ouvragées, suivis par les Florentins, les Espagnols et les riches Osterlins de la Hanse. Jamais Bruges n'avait paru aussi riche que ce jour-là. Pourtant, le règne de Charles, qui avait commencé sous les meilleurs auspices, avait rapidement fait déchanter ses plus ardents partisans. Son autoritarisme s'accommodait fort mal des libertés communales si chères aux bourgeois flamands, et sa politique guerrière se révélait un véritable gouffre financier. Les habitants de Bruges n'avaient que faire de la gloire militaire lorsqu'elle ne favorisait pas le commerce !

En sa qualité de banquier florentin, Rienzi comprenait fort bien ces préoccupations, mais il n'ignorait pas

que la guerre pouvait se montrer un excellent inves-
tissement financier à condition de jouer les bonnes
cartes…

Il sortit de ses pensées pour apostropher son compagnon de route.

— Leonardo, en avons-nous encore pour longtemps ? Je t'avoue que je brûle d'arriver. Tu sais que les
affaires qui nous mènent ici ne souffrent aucun retard.

— Oui, *signore*, et ton impatience fait honneur à
la conscience de ta charge. Nous touchons au but. Si
l'aubergiste m'a bien renseigné, nous devrions bientôt
apercevoir le fameux beffroi de la ville.

— Eh bien, il est temps, bougonna Lorenzo. Ce pay-
sage est d'une telle monotonie… Tout est si plat, si
gris et si humide ; les gens qui vivent ici ne doivent pas
s'amuser tous les jours.

— Ton père te répondrait qu'il n'est nul besoin de
rire pour mener à bien ses affaires. Et un banquier de sa
trempe s'y connaît mieux que quiconque, non ?

Lorenzo esquissa un sourire – le premier depuis longtemps, songea Leonardo. Le chevalier avait beau être
jeune – 21 ans –, il avait très vite participé aux affaires
de la famille et acquis de l'expérience. Conscient de
sa beauté, il portait de longs cheveux noirs à la mode
florentine et n'hésitait pas à afficher son rang en arbo-
rant étoffes rares et bijoux précieux. Impossible en tout
cas de le confondre avec son homme d'armes, dont la
sobriété vestimentaire n'avait d'égal que le courage face
au danger. Cette paire, à première vue fort mal assortie,
fonctionnait pourtant à merveille. Il faut dire que les
deux jeunes gens se connaissaient depuis l'enfance et
que le propre père de Leonardo avait été au service de
celui de Lorenzo avant de succomber lors de l'attaque
d'un convoi de fonds pour la cour de Bourgogne.

Troisième élément de ce trio, le vieux valet Bartolomeo avait également servi le père de Lorenzo durant
de nombreuses années. Ce dernier avait fini par juger
utile de l'affecter au service de son fils, voyant dans ce
transfert une bonne manière de calmer ses ardeurs tout
en gardant un œil discret sur lui. Lorenzo n'était pas
dupe, mais il vouait une profonde affection à son serviteur et ne manquait pas une occasion de le taquiner en
lui reprochant ses attitudes héritées d'un autre âge.

Malgré sa vue faiblissante, ce fut Bartolomeo qui
annonça la bonne nouvelle tant attendue.

— Là-bas, regardez ! Je crois que nous touchons
enfin au but.

— Dieu soit loué, soupira Lorenzo. Bruges nous
tend les bras pour nous accueillir.

— À moins que ce ne soit pour mieux nous retenir,
répliqua Leonardo, subitement mélancolique.

3

L'atelier de Memling n'avait jamais été si prospère. Les commandes étaient tellement nombreuses que le maître avait jugé utile d'engager un deuxième élève en plus de ses deux aides.

Jan Wauters et Gerard Dooms l'assistaient depuis plusieurs années. Ils étaient conscients du privilège de servir un aussi grand peintre, mais ils ne se faisaient aucune illusion sur leur chance de pouvoir un jour voler de leurs propres ailes. Leur tâche consistait à aider le maître et à suivre scrupuleusement ses ordres ; nul ne leur demandait d'exercer leur créativité.

Il en allait tout autrement du jeune Hans Van den Bosch, qui avait été remarqué par Memling alors qu'il tentait de se faire engager chez un graveur de ses amis. Très vite, le maître avait perçu tout le potentiel de ce jeune artiste, qui ne demandait qu'à s'épanouir au contact de son propre génie. Mais Memling n'était pas dupe, il était bien placé pour savoir qu'un talent authentique ne se satisfaisait pas longtemps de servir un patron, aussi renommé fût-il.

Pour combattre ces pensées désagréables, il se disait que l'apprentissage de la modestie faisait également partie de la formation d'un futur maître… Aussi Memling n'avait-il pas longuement hésité lorsqu'on lui avait suggéré de prendre un nouvel élève sous son toit. Peut-être ne possédait-il pas toutes les références souhaitées, mais ce beau geste lui permettait de faire plaisir à un ami tout en donnant une bonne leçon à ce jeune ambitieux de Van den Bosch.

Pieter ignorait les intrigues qui l'avaient conduit à bénéficier de cette proposition inespérée pour un débutant, mais il comprit rapidement que Hans lui vouait une rancune féroce... Dès leur première conversation, il lui donna d'ailleurs le ton pour ne laisser planer aucune ambiguïté.

— Alors, *jongske*, gamin, je constate que Memling ne t'a pas fait de cadeau en te confiant d'emblée une périlleuse mission. Classer les pinceaux n'est pas une mince affaire, mais je suis certain qu'avec quelques années de pratique, tu finiras par t'en tirer.

Pieter fit de son mieux pour conserver son calme et répondit à cette charge ironique en se plaçant sur le même terrain que son adversaire...

— J'espère que j'en serai capable, mais sache que je ne te dérangerai pas si l'on venait à me confier une tâche insurmontable. Je suis certain que tu ne pourrais pas m'être d'une grande aide.

— Moi, j'ai au moins la prétention d'avoir été engagé ici pour mon talent, et non parce que mon oncle est une vieille connaissance du maître, répliqua Van den Bosch, dont la voix s'était mise à trembler. Depuis le grand Van Eyck, la peinture des plus grands maîtres de Bruges n'a aucun secret pour moi, et je ne laisserai personne me barrer le chemin, fut-il protégé par le duc de Bourgogne en personne. Ai-je été assez clair ?

Préférant ne pas envenimer la situation, Pieter reprit sa tâche comme si rien ne s'était passé. Persuadé d'avoir remporté une victoire décisive contre l'intrus qui lui avait été opposé, Hans s'en retourna également à son ouvrage. Il traçait les décors d'une déposition du Christ. À l'arrière-plan de la scène principale conçue par Memling, il était chargé de l'élaboration d'un double décor, de part et d'autre de la croix. À gauche émergeait une ville flamande avec ses remparts, ses tours de garde et ses hauts clochers d'église. À droite, les silhouettes de saint Joseph d'Arimathie et de Nicodème se découpaient sur un fond de montagnes boisées. Les deux personnages de la scène peaufinaient les préparatifs pour la mise au tombeau du Christ en portant le lourd couvercle du sarcophage.

Malgré toute l'antipathie qu'il portait au prétentieux, Pieter ne pouvait s'empêcher de jeter quelques coups d'œil envieux vers son travail et reconnaissait intérieurement son grand talent. Il devait admettre que Hans n'avait pas totalement tort : la partie était loin d'être gagnée pour lui.

4

Le bouillon refroidissait dans un bol d'argent richement ciselé et marqué aux armes de la famille. Ici, rien
n'était laissé au hasard, et la magnificence de la décoration ne laissait planer aucun doute sur la puissance
du maître de céans. Le nombre de toiles qui ornaient
les murs de la maison était tel que l'on aurait pu penser que chaque pièce renfermait un cabinet d'amateur.
Après tout, peut-être était-ce l'effet d'une bienveillance
divine que d'avoir accordé à ces petits Brugeois sans
envergure un tel talent pour la peinture. Souvent, il lui
arrivait de se demander comment ces tristes Flamands
sans raffinement avaient réussi à produire autant de
chefs-d'œuvre. Au moins, ces quelques compensa-
tions artistiques rendaient-elles la coexistence avec ce
bestiail plus facile à supporter. Avec l'art, le bouillon
était encore le meilleur compagnon qu'il avait trouvé
en ce plat pays pour se sentir mieux ; un bouillon riche
comme la fastueuse Florence des Médicis, un bouillon
chaud comme le doux soleil italien qui faisait si souvent défaut ici. Diable, comment pouvait-on vivre dans
un pays où le froid semblait s'être acoquiné avec la
pluie pour rendre les gens gris, les pierres sales et le
monde triste ?

Le renom du flamboyant *banquiere* Tommaso
Portinari était grand du nord au sud de l'Europe. Il repré-

sentait les intérêts des Médicis à Bruges et traitait quotidiennement des affaires de la plus haute importance. Pour supporter son frileux exil flamand, il avait emménagé dans le somptueux palais Hof Bladelin, construit au début du siècle par Pierre Bladelin, le trésorier de l'ordre de la Toison d'or, qui en avait fait un hymne à la beauté et au raffinement. Le rythme des briques qui composaient la façade était souligné par des encadrements de pierre blanche pour les fenêtres. Mais plus que tout autre élément de cette architecture précieuse, c'est la fine tourelle s'envolant sur le mur de la rue qui emportait l'adhésion générale et suscitait la jalousie des riches voisins. Ses élégantes arcatures ourlées de trilobes de pierre constituaient un modèle du genre et affirmaient dès l'extérieur la toute-puissance des occupants de la demeure.

Aujourd'hui, Portinari se moquait toutefois de ces considérations architecturales, comme de ses premiers bas-de-chausses. S'il avait poussé le vice jusqu'à laisser refroidir son cher bouillon, c'est parce qu'il attendait un visiteur aussi important qu'importun. Il arpentait son bureau en profitant de chaque passage devant l'âtre pour glaner un peu de chaleur et maudire une fois encore ce premier soleil hypocrite qui naît après l'hiver mais se contente de dispenser une large lumière sans pour autant réussir à réchauffer la terre. Subitement, il se tourna vers son secrétaire qui, absorbé dans ses livres de comptes, ne s'était pas rendu compte du trouble de son maître.

— Je suis nerveux, Alessandro. Tu m'assures que tout est en ordre ?

— Oui, *signore*, rien n'a été laissé au hasard, et je te garantis que tout se passera bien. D'après mes informateurs, il n'est plus qu'à quelques lieues de la ville.

Bientôt, il sera en nos murs, et tu sais comme moi que nous n'avons rien à lui cacher.

Portinari resta encore un long moment songeur devant la petite fenêtre qui donnait sur la cour intérieure, avant d'opérer une subite volte-face et de s'exclamer :

— Tu as raison, je suis toujours trop inquiet et il est d'ailleurs grand temps que je termine ce bouillon pour affronter les jours qui viennent ! Et puis, cela nous permettra au moins d'avoir quelques nouvelles récentes de notre chère Florence !

Tranchant comme la lame d'une dague fraîchement aiguisée, un rayon de lumière traversait de part en part l'étroite nef de la petite chapelle. Après avoir percé le vitrail figurant une scène de la Passion du Christ, la lumière s'était subitement colorée de rouge, un rouge profond et chaud à l'image du sang de Jésus se répandant sur la terre. Dans le halo lumineux tourbillonnaient des milliers de particules en suspension, comme des nuées d'êtres vivants qui n'étaient que poussière face au sacrifice du Seigneur. Le rai de lumière venait achever sa course sur le crucifix placé face à l'autel, plus précisément dans le regard empli de souffrance du fils de Dieu.

Crucifié, le Seigneur pleurait des larmes de sang, il venait de donner sa vie pour racheter les péchés des hommes, de tous les hommes mais aussi de toutes les femmes. Comment les misérables créatures qui peuplent la terre pourraient-elles un jour lui témoigner toute la reconnaissance qui lui était due ? Comment le pourraient-elles, elles qui n'avaient aucune conscience du poids de leurs actes et qui se complaisaient dans le vice, l'orgueil et le péché plutôt que d'emprunter la voie de la rédemption ?

— *Jésus, pardonne-leur, ils ne savent pas ce qu'ils font, gémit une voix fragile venue du fond de la chapelle…*

La main tremblante alluma un cierge et vint le placer aux pieds du Christ. Le visage de bois s'anima mais il n'adopta pas une attitude de quiétude ou de sérénité ; au contraire, la souffrance semblait déchirer son visage. Cette fois, les hommes avaient dépassé toutes les limites de l'acceptable. L'éternelle bataille que se livraient le bien et le mal était peut-être d'ores et déjà perdue, ce qui expliquerait que l'enfer se fût abattu sur la terre.

Ce n'était pas le moment de fléchir, une rude et salvatrice bataille devait être livrée. Et il n'y avait qu'une issue possible : seule la voie de vérité serait sanctifiée.

Le petit timbre de voix reprit :

— *Seigneur, donne-moi la force…*

Elle fixa avec attention le visage du crucifié qui s'inclina doucement. Il n'existait plus de doute : la paix des hommes était bien à ce prix, le prix du sacrifice.

5

Depuis que Philippe le Bon avait fait de leur ville la capitale politique, artistique et économique de son duché, il en fallait beaucoup pour surprendre les Brugeois habitués à toutes les richesses et à tous les excès. Et pourtant, l'arrivée de Lorenzo Rienzi fut loin de passer inaperçue tant était grand le faste affiché par son équipage. Certes, sa suite n'était pas nombreuse, mais elle avait fière allure, et rien ne laissait supposer que cette petite troupe fringante venait d'effectuer un aussi long et périlleux voyage. Lorenzo, vêtu d'un habit de velours noir rehaussé de fils d'or et de perles, ouvrait la marche; son épée – une pièce unique qui lui avait été cédée par un vieux marchand de Byzance – était sertie de pierres précieuses et étincelait sous le froid soleil de cette fin de matinée. Le suivaient Leonardo, qui avait appris à dissimuler sa haute stature pour ne pas porter ombrage à son maître, et Bartolomeo, qui ne pouvait cacher son profond soulagement d'être enfin arrivé à bon port. Les Brugeois qui assistaient à cette entrée reconnaissaient que les Italiens possédaient une élégance innée que l'on ne pouvait leur ôter, même si elle n'excusait pas tout.

Alors que l'équipage s'engageait dans la Steenstraat qui menait droit au beffroi de la ville, il fut bloqué par le chariot d'une vieille marchande de paniers.

— Oh là! Dégage, femme! Fais place au noble seigneur Rienzi! s'écria Leonardo.

Comme la vieille faisait mine de ne pas se préoccuper de l'injonction qui lui avait été faite et préférait continuer à ranger sans hâte sa marchandise, Leonardo s'emporta.

— Vas-tu enfin te décider à céder le passage ou veux-tu que nous t'y contraignions?

— *Vervloekte Florentijners!* Maudits Florentins! hurla un jeune homme surgissant subitement de la foule.

Il fut rapidement relayé par d'autres badauds qui prirent parti pour la vieille marchande et rendirent le passage impossible en bloquant la rue. Chevaux, chariots et passants surgissaient de toutes parts, on aurait dit mille et un démons surgissant d'une boîte. Bartolomeo était effaré et tenait fermement la bride de son cheval, comme s'il s'agissait de son entière fortune, tout en essayant de se faire le plus petit possible pour passer inaperçu. Leonardo n'attendait qu'un ordre pour saisir son épée, mais il était assez coutumier des situations difficiles pour comprendre que celle-ci ne tournerait pas à l'affrontement et que le sang ne serait pas versé. Lorenzo, lui, s'estimait blessé dans son orgueil, surtout lorsqu'un jeune garçon cracha dans sa direction. Certes, il avait beaucoup entendu que les Brugeois étaient indisciplinés et que la situation politique particulièrement instable qui régnait dans la ville était de nature à leur faire perdre leur calme, mais ce qu'il voyait dépassait tout ce qu'il avait pu imaginer. Le désordre était à son comble quand deux gardes communaux intervinrent en se frayant un passage jusqu'aux voyageurs.

— Faites place, faites place… Allez, dégagez!

Petit à petit, la foule se dispersa, et tout rentra dans l'ordre. Comme si rien ne s'était passé, le cœur de la bonne ville de Bruges recommença à battre au rythme des cris des marchands, des rires, des jeux des enfants et des hennissements des chevaux.

Les deux gardes se dirigèrent vers l'équipage qui avait quelque peu perdu de sa superbe dans l'aventure. Le plus âgé des deux hommes d'armes, dont l'embonpoint trahissait la tradition de bonne chère que l'on accordait à la ville flamande, leur adressa la parole :

— Voilà, messieurs, le petit incident est clos. Ils ne sont pas vraiment méchants, mais les gens d'ici ont un petit peu perdu le sens de l'hospitalité depuis que tout est devenu difficile. Peut-être est-il plus prudent que nous vous escortions jusqu'à bon port. Où désirez-vous vous rendre ?

— Nous avons accompli une longue route depuis Florence, et nous vous savons gré de votre bienveillance. Mon escorte et moi-même acceptons volontiers votre proposition. Nous sommes attendus chez le seigneur Portinari, répondit Lorenzo en usant de sa plus parfaite éducation.

— Chez le seigneur Portinari ? Ciel ! Alors, je préfère d'autant plus vous y mener… conclut le garde avec une petite grimace avant d'ouvrir la marche.

6

Depuis qu'il avait quitté sa ville natale de Seligenstadt
am Mein, Hans Memling avait travaillé sans ménager
ses efforts pour faire reconnaître son talent. Jeune artiste,
il avait commencé sa formation à Cologne, une ville
où il avait pensé un temps se fixer avant de se raviser,
la cité rhénane n'offrant pas assez de débouchés pour
un jeune peintre qui estimait devoir encore approfondir
ses connaissances. Il avait donc choisi de s'expatrier
pour poursuivre son apprentissage à Bruxelles, la ville
où résidait le fameux peintre Rogier Van der Weyden.
Celui-ci avait été son véritable maître et lui avait ensei-
gné son art et sa technique. Mais très vite, l'élève
avait senti que leurs routes allaient diverger. Rejetant
l'archaïsme des artistes bien en cour, le jeune Memling
n'hésitait pas à critiquer le réalisme froid de Jan Van
Eyck, la tension expressive et dynamique de Rogier
Van der Weyden ou, surtout, l'emphase dramatique
tellement prisée par Hugo Van der Goes[1]. À ces traits
d'un autre âge, il opposait un sens inné du dessin, un
modelé quasi féminin des personnages et une douceur

---

1. Peintres flamands. Rogier Van der Weyden, dit De la Pasture
(début xvᵉ-1464) ; Jan Van Eyck (1390-1441) ; Hugo Van der Goes
(1440-1482).

du trait encore inédite dans ces régions. Sorti du Moyen Âge, le nord de l'Europe goûtait à son tour les saveurs de la Renaissance ; l'influence italienne baignait le milieu artistique européen qui se laissait envahir par un voluptueux sentiment d'élégance. Mieux que quiconque, Memling avait compris l'esprit de son temps, et sa réputation était rapidement parvenue aux oreilles des plus grands. Il avait finalement choisi de se fixer à Bruges, la prospère cité flamande étant réputée pour le bon accueil qu'elle réservait aux artistes et, détail non négligeable, pour son aptitude à remplir leurs carnets de commande. Il y avait obtenu la citoyenneté en 1465 et en était même devenu le peintre le plus en vue, succédant à des maîtres aussi renommés que Jan Van Eyck et Petrus Christus.

En cette fin de matinée, Memling se souciait peu de sa gloire et du renom qu'il laisserait – si Dieu le voulait – dans l'histoire de la peinture. Il arpentait en tous sens la petite pièce du premier étage où il avait l'habitude de se retirer pour réfléchir, s'occuper de ses comptes ou encore consulter sa documentation lors des phases préparatoires de l'exécution d'un nouveau tableau. L'endroit était à l'image de l'homme : simple, raffiné et chaleureux. En quelques années, il y avait constitué une belle bibliothèque, dans laquelle il puisait nombre de réponses aux exigences que lui soumettaient ses commanditaires. Il conservait également dans ce cabinet ses dessins préparatoires ainsi que les croquis qui pourraient servir de base à des œuvres futures. Sur la cheminée trônait une petite Vierge ancienne sculptée dans du bois de hêtre, qui l'avait accompagné depuis qu'il avait quitté sa ville natale et lui portait chance.

La silhouette de la mère du Christ ondulait au gré d'un subtil déhanchement qui donnait l'illusion de l'amorce d'un mouvement. Un souffle de vie habitait l'œuvre dans laquelle Memling, après toutes ces années, parvenait encore à trouver des détails, des leçons et des promesses qui lui avaient échappé. Obéissant à une superstition qu'il trouvait par ailleurs totalement stupide, il conservait également dans son bureau les premiers pinceaux qu'il avait utilisés lors de son apprentissage à Cologne ; il ne manquait d'ailleurs jamais d'y avoir recours lorsqu'il accomplissait une œuvre majeure. L'artiste savait pertinemment qu'ils portaient, eux aussi, le poids des ans et avaient perdu une grande part de leur agilité, mais il leur attribuait des vertus quasiment magiques et le don particulier d'insuffler une part d'âme à ses portraits.

— La peinture a-t-elle une âme ? s'interrogea-t-il, seul, dans la belle lumière de cette fin de matinée.

Il semblait certain en tout cas que certaines œuvres possédaient assez de force pour affoler les hommes, un peu comme si l'appropriation d'une image pouvait suffire à capter l'âme de son modèle. D'ailleurs, n'avait-il pas réussi à traduire toute l'essence d'un être au travers de ses coups de pinceau ? Un regard paisible et confiant en l'avenir contre lequel aucune vilenie ne pourrait avoir de prise, deux mains posées l'une sur l'autre, apaisées et discrètes, aptes à dispenser toute la tendresse à l'être aimé, la douceur d'une carnation qui constitue à elle seule une invitation à l'amour…

— *Mijn oom*, mon oncle, il y a un drôle de monsieur qui est arrivé ! Tu le connais ? Dis, je pourrai toucher son épée ?

Memling avait un fils de deux ans, Hannekin, et il avait recueilli et élevé comme son propre enfant le fils de sa belle-sœur prématurément disparue. Le jeune Dirk, qui venait de fêter ses 10 années, vouait une admiration sans faille à celui qu'il considérait comme son père et, en retour, ce dernier appréciait sa fraîcheur et sa curiosité toujours en éveil, qui étaient signe, selon lui, d'une intelligence supérieure. La complicité qui les unissait était telle que le peintre était prêt à fermer les yeux quand le gamin dépassait les bornes, au grand dam de sa femme Tanne qui professait de stricts principes d'éducation.

Subitement extirpé de ses rêveries, Memling sut que le moment était venu d'affronter la réalité tant redoutée. Il quitta son bureau et descendit rapidement les escaliers de bois fraîchement cirés, emprunta le couloir et traversa la cour pour se rendre dans la réserve où Baert était tout à son ouvrage, occupé à réparer un tonneau qui fuyait. À première vue, la tâche ne paraissait pas aisée, et le bonhomme jurait pour se soulager quand Memling débaula, un brin essoufflé, suivi par Dirk, étonné mais visiblement satisfait d'avoir éveillé un tel intérêt auprès de son oncle.

— Baert, mon visiteur italien est arrivé. Va dans l'atelier et donne congé aux apprentis et aux élèves ; ils ne doivent pas revenir avant demain. Demande à Magda de s'occuper des enfants. Je vais accueillir mon invité dans mon bureau, et j'exige qu'on ne me dérange sous aucun prétexte.

— Bien, maître, il en sera fait selon ta volonté. Tu viens, Dirk ?

Le gamin prit une mine renfrognée. Mieux que quiconque dans cette maison, il pouvait interpréter le ton de voix de son oncle, et, cette fois, il ne souffrait aucune contestation. Pour la forme, il laissa quand même échapper :

— Bon et l'épée, je pourrai quand même la voir, hein ?

7

Lorenzo n'aurait pas pensé qu'il fût aussi difficile de quitter la petite troupe qui l'avait accompagné vers le palais du seigneur Portinari. Il avait dû dissuader Bartolomeo de le suivre et avait éprouvé les pires peines du monde à s'affranchir de l'encombrante escorte qui les avait pris en charge depuis l'incident de la grand-place. Il n'avait même pas cherché à mentir et avait tout simplement expliqué qu'il voulait à tout prix profiter de sa présence à Bruges pour se rendre chez le fameux peintre Memling et lui demander de réaliser son portrait. Compte tenu de la brièveté de son séjour dans la ville, il valait mieux ne pas tarder et convenir d'ores et déjà du programme des nombreuses séances de pose qui seraient nécessaires, à n'en pas douter.

Bartolomeo avait haussé les épaules en se promettant au plus profond de lui-même de rapporter au père de son jeune maître cette fâcheuse propension au narcissisme alors que des affaires importantes attendaient. Après moult palabres, le garde avait fini par reconnaître que le jeune homme ne pouvait faire un meilleur choix, tant le talent du maître Memling était renommé. De plus, la demeure du peintre n'était pas très éloignée du palais Bladelin, et dans ce quartier légèrement excentré, il n'y avait plus guère de débordement à craindre. Lorenzo avait promis à ses compagnons de les rejoindre le plus rapidement possible et les avait priés de remettre ses amitiés au seigneur Portinari.

En s'engageant dans la Sint-Jorisstraat, le Florentin s'était senti instantanément plus libre, enthousiaste, pour ne pas dire exalté. Enfin, la quête touchait à son but, et l'une des façades de cette rue bourgeoise dissimulait une partie de son bonheur, un saint Graal qui lui avait fait parcourir toute l'Europe, du sud au nord. Il avait ralenti le pas de son cheval pour profiter de ce moment délicieux, et observé le manège de deux merles qui se disputaient fébrilement un morceau de pain tombé à terre.

Peu à peu, le soleil se faisait moins timide, et ses rayons généreux réchauffaient les briques rouges des façades. Assise au rebord d'une fenêtre, une jeune fille occupée à se peigner avait adressé un sourire au promeneur qui passait devant sa maison. Enfin, Bruges offrait son véritable visage, celui d'une ville avenante et accueillante pour ceux qui la respectaient et étaient prêts à en cueillir tous les charmes.

Pour un peu, Lorenzo aurait pensé que ce moment ne finirait jamais ; mais sans s'en rendre compte, il avait déjà heurté la porte de la maison de *heer* Memling. La demeure, vaste et bien entretenue, apparaissait comme l'une des plus belles de la rue, qui était pourtant une des artères les plus bourgeoises de la ville. Trois petites fenêtres illuminaient le rez-de-chaussée et se répétaient aux trois étages supérieurs, enchâssées dans des niches couronnées par un arc brisé et subtilement reliées par un habile jeu d'arcs et d'accolades de briques en saillie. Couronnant l'imposant édifice, un pignon à remplants également en briques soulignait encore l'impression de verticalité de l'ensemble.

Quand la lourde porte s'était ouverte, Lorenzo songeait que cette architecture aujourd'hui bien démodée en Italie restait apparemment fort prisée dans les pays du Nord.

8

Magda se chargea d'accueillir le prestigieux visiteur. La gouvernante s'adressa au Florentin avec toute la retenue respectueuse seyant à une maison comme celle dont elle avait la responsabilité. Depuis quarante ans, cette fille de paysans des polders avait servi les plus importantes familles de Bruges sans jamais prendre le temps de penser à elle-même, ne songeant qu'au bien-être de ses employeurs. D'un tempérament indépendant, elle n'avait pourtant jamais hésité à changer de maison lorsqu'elle sentait que le moment était venu de rompre les amarres. Le couronnement de cette longue carrière ancillaire était cette fonction de gouvernante tellement convoitée pour une femme d'origine modeste et la totale confiance de Memling.

Même si elle se méfiait comme de la peste de ces Italiens trop beaux et polis pour être honnêtes, elle ne ménagea pas ses efforts pour accueillir Lorenzo avec toute la déférence dont elle était capable. Son imposante silhouette éternellement vêtue de noir précéda le Florentin dans le couloir. Elle le pria de la suivre à l'étage et le mena directement au bureau du peintre. Après avoir pris le temps de réajuster une mèche de cheveux blancs sous son voile noir, elle frappa.

En ouvrant la porte, elle permit à un rai de lumière aveuglant de s'échapper dans le sombre couloir. Le contraste entre la clarté et l'obscurité était tel qu'il fallut quelques secondes à Lorenzo pour distinguer nettement le peintre qui s'était levé et se tenait dos à la fenêtre.

— Merci, Magda ! Apportez-nous un cruchon de bonne bière fraîche, je crois que le seigneur Rienzi doit avoir la gorge sèche après un aussi long voyage.

— Avec grand plaisir, *messer*, mais ne vous donnez pas trop de peine pour moi, il me sera impossible de demeurer très longtemps en votre agréable compagnie aujourd'hui.

Entendant ce qu'elle considérait comme une bonne nouvelle, Magda ne put s'empêcher d'esquisser un petit sourire de soulagement et quitta la pièce.

Les deux hommes étaient restés face à face. En sa qualité de maître de maison, Memling entra sans attendre dans le vif du sujet.

— Je ne vous cacherai pas que votre requête n'est pas courante… Lorsque notre ami commun me l'a transmise, j'ai d'abord pensé refuser tout net. Comprenez-moi bien, ce que vous me demandez est très délicat, il y va de ma réputation.

— *Messer* Memling, je suis parfaitement conscient du sacrifice que je vous demande, mais j'ai cru comprendre que vous étiez un homme de cœur, et je ne me suis décidé à faire appel à vous qu'en dernier recours. Votre réputation est grande, et vous êtes le seul peintre à posséder assez de sensibilité pour traduire toute la force et l'émotion de mon sujet à travers une œuvre unique.

— Vous dites unique, n'est-ce pas…

Le peintre se dirigea vers le fond de la pièce et souleva une lourde tenture de velours rouge derrière laquelle il entreposait les projets et les œuvres qu'il voulait tenir éloignés des regards indiscrets. Il sortit une toile en cours de réalisation et la présenta au Florentin, dont le regard fut traversé par une lueur intense.

— Au nom de l'amitié qui me lie à notre ami commun, j'accepte la commande que vous m'avez faite. Néanmoins, pour des raisons de confidentialité que vous comprendrez aisément, je me chargerai moi-même du premier sujet. Concernant votre portrait, je me contenterai de superviser le travail de mon atelier, et je vous demanderai donc de faire confiance au savoir-faire de mes élèves.

Et tandis qu'il refermait le rideau de velours après y avoir remis la toile, il ajouta :

— Tâchez de venir le plus tôt possible demain matin pour la première séance de pose, le temps nous est compté.

Lorenzo Rienzi remercia chaleureusement le maître et se préparait à sortir quand Memling le retint encore quelques secondes.

— Seigneur, il est vrai que certaines peintures ont une âme, mais aucune d'entre elles n'a le pouvoir de transfigurer l'âme humaine, ne l'oubliez pas…

L'Italien s'assombrit mais ne réagit pas ; il poussa la porte et faillit percuter Magda qui arrivait avec son cruchon et ses gobelets. Il s'excusa, dévala prestement les escaliers et sortit précipitamment de la maison en laissant la gouvernante stupéfaite.

— Et alors, et la bière ?

— Ne vous formalisez pas, Magda, le seigneur Rienzi aura assurément tout loisir de goûter notre excellente bière dans les jours qui viennent.

9

Pour se remettre des émotions de cette première journée de travail, Pieter décida d'aller se rafraîchir le gosier. Une bonne chope dans le quartier des quais, parole de Brugeois, il n'y a rien de mieux pour se remettre les idées en place ! Depuis sa plus tendre enfance, il avait l'habitude de s'y promener et d'observer, des heures durant, le ballet des dockers déchargeant les navires en provenance de pays lointains. Vins d'Italie, cuirs de Cordoue, peaux des régions de la Mer Noire, tapis d'Orient constituaient autant d'invitations au voyage. Guidé par son imagination, l'enfant se voyait quitter son plat pays que dominaient seulement les flèches des cathédrales pour découvrir les montagnes des lointaines contrées du Sud ; certains voyageurs racontaient même qu'il était possible d'y contempler Dieu lorsque l'on parvenait à leur sommet. Un jour, peut-être, pourrait-il, lui aussi, découvrir tous ces prodiges.

Fenêtres ouvertes sur le monde, les quais étaient également une formidable caisse de résonance de toutes les rumeurs qui couraient dans la ville, et il suffisait de tendre l'oreille pour en apprendre plus qu'à la cour de Bourgogne.

La seule taverne à garantir de l'animation à cette heure de la journée était la *Chope d'Argent*. L'endroit, vaste et idéalement situé sur les quais de déchargement, avait bâti toute sa réputation sur la variété de sa clientèle. Voyageurs au long cours, prospères négociants du cru et hommes d'armes y croisaient des diseuses de bonne aventure, des saltimbanques et même quelques femmes de mauvaise vie qui aguichaient les marins sevrés de plaisirs faciles. Derrière son comptoir, le gros Maximiliaan Dorst veillait sur cette assemblée hétéroclite avec un mélange subtil de bonhomie et d'autorité qui n'appartenait qu'à lui. Demi-frère du père de Pieter, « l'oncle Max » vouait une affection particulière à son unique neveu. Il avait compris depuis longtemps que le jeune homme ne voulait pas marcher sur les traces de ses parents et, même s'il ne se l'avouait pas, il retrouvait une part de lui-même dans cette sourde révolte. Maximiliaan n'avait pas toujours rempli des chopes… Jadis, il s'était lancé avec succès dans le commerce lucratif de la pelleterie. Il avait accumulé une jolie petite fortune qu'il avait réinvestie dans sa taverne, à l'étonnement général. Les bourgeois de la ville avaient désapprouvé ce changement de cap professionnel qu'ils assimilaient à une déchéance, mais Max n'en avait cure et avait fait prospérer son établissement au-delà de toute espérance. Le diable d'homme avait décidément le sens des affaires.

Longtemps, Pieter n'avait pas osé désobéir à son père, qui lui interdisait de franchir le seuil de cet endroit de débauche. Assez lâchement, il avait profité du départ de celui-ci pour braver l'interdiction paternelle et, chaque fois qu'il le pouvait, aller rendre visite à son oncle. Après tout, n'était-ce pas grâce à lui qu'il avait décroché un apprentissage chez Memling ?

Pour ne rien gâcher, Maximiliaan avait la généreuse habitude de faire crédit à son neveu, à la seule condition que celui-ci réalise une fresque pour sa taverne lorsqu'il aurait acquis le savoir-faire nécessaire. Le sujet exact restait à déterminer, mais il était question d'une kermesse flamande au début du printemps, où la bière coulerait à flots et au cours de laquelle Maximiliaan serait sacré roi de la fête par de jeunes et pures vestales...

D'ordinaire fort jovial, l'aubergiste n'avait pas l'air de bonne humeur ce jour-là. Tout au plus accueillit-il son protégé d'un petit bonjour maussade qui n'avait rien d'engageant. Il détourna ensuite le regard et commença à rabrouer la jolie Emma – sa serveuse et amie de cœur – parce qu'elle avait mal refermé un tonneau de bière blonde. La jeune fille fit semblant de ne rien entendre ; elle servit une pleine chope, renoua lentement le foulard qui retenait sa longue chevelure rousse et vint s'asseoir à la table de Pieter en chantonnant.

— Alors, jeune homme, déjà finie la première journée de travail ? À moins qu'on n'ait pas voulu de toi. Ou bien n'as-tu déjà plus rien à apprendre...

— Ne te moque pas de moi, Emma. J'ai déjà été assez impressionné comme ça. Non, *messer* Memling nous a donné congé afin d'accueillir un prestigieux visiteur florentin sans être importuné. À première vue, ce doit être quelqu'un d'important. Mais il faut que je te parle de l'espèce d'ours qui m'a accueilli...

Pieter interrompit brusquement son récit, constatant qu'Emma ne s'y intéressait pas le moins du monde. Il préféra dès lors changer de sujet.

— Et ici, comment ça va ? J'ai déjà vu Maximiliaan plus souriant. Les affaires sont mauvaises ? Ne me dis pas que les Brugeoises ont enfin trouvé une manière d'empêcher leur mari de les tromper avec les blondes qu'ils préfèrent... Tu sais, celles que tu leur sers si généreusement dans tes chopes ?

La serveuse ne prit même pas la peine de sourire. Elle suivait le fil de ses idées et reprit sur le mode de la confidence en baissant le niveau de sa voix…

— Oh, et puis tant pis. Max n'aimerait pas que je t'en parle, mais tu finiras de toute façon par apprendre la nouvelle. Et je t'assure qu'on n'a pas fini d'en parler, même dans les beaux quartiers du centre de la ville.

Visiblement, la jeune femme tenait à ménager son effet de surprise. Impatient, Pieter la pressa de raconter son histoire.

— Ce matin, le gros Hans est arrivé en courant à la taverne…

— Jusqu'ici rien de neuf, plaisanta Pieter. Hans a beau être responsable du corps de garde des quais, il n'en est pas moins votre client le plus fidèle et le plus matinal.

— Pour une fois, il était sobre, rectifia Emma, un brin excédée d'avoir été interrompue. Il nous a appris qu'on venait de repêcher le corps d'une jeune fille non loin du quai aux grains.

— Une jeune fille ! Morte ?

— Oui, et pas n'importe laquelle. Pas une de ces filles de tavernes comme on en voit tant ici. Non, une jeune fille de la meilleure société. Tu dois déjà en avoir entendu parler, elle s'appelait Margarita Demeester. C'était la fille du riche marchand d'étoffes, le genre de donzelle qui n'a d'autre souci que de trouver joli preneur pour sa dot.

Pieter releva au passage la pointe de jalousie, un sentiment qu'il n'avait pas l'habitude de rencontrer chez Emma.

— Sais-tu quelque chose de plus ?

— On raconte qu'elle a été étranglée et jetée à l'eau. Le plus étonnant, c'est que malgré l'animation qui règne à toute heure dans le quartier, personne n'a rien vu !

Pieter ne connaissait Margarita que par ouï-dire, mais sa réputation suffisait à lui faire percevoir toute l'étendue du scandale. Pour quelle raison une demoiselle pareille traînait-elle dans ce quartier souvent mal fréquenté ? Ce n'était assurément pas la place d'une jeune fille de bonne famille.

— Emma, je te concède que l'affaire est tragique, mais pourquoi Maximiliaan est-il à ce point touché ? Ce n'est pas la première fois que l'on repêche pareil poisson dans les eaux troubles des canaux…

— Je crois qu'il a fait affaire naguère avec le père Demeester. On m'a même raconté qu'ils avaient été assez amis par le passé… Enfin, jusqu'à ce qu'il arrête le commerce et qu'il reprenne la taverne.

— Emma !

Le rappel à l'ordre ne souffrait aucun retard. Maximiliaan jeta un regard noir à sa serveuse et la pria de venir s'occuper des clients. Comme il feignait de ne pas voir Pieter, ce dernier préféra finir rapidement sa bière et quitter la taverne.

Le jeune homme fut satisfait de se retrouver dehors. L'atmosphère de la *Chope d'Argent* l'avait oppressé. Le houblon bien frais tourbillonnant dans son estomac vide lui donnait l'impression de flotter légèrement au-dessus du sol. Heureusement, le bon air marin aurait tôt fait de le requinquer.

L'hiver avait été particulièrement rude cette année-là, et les premiers assauts du printemps avaient métamorphosé la ville. L'apprenti se surprit à songer aux couleurs de la palette qui pourraient le mieux traduire ce renouveau ; le jaune éclatant du soleil, le rouge profond des briques des entrepôts, le bleu joyeux du ciel sans nuage. Ses pensées furent subitement rayées d'un grand coup de pinceau de peinture blanche. Blanc comme l'innocence. Blanc comme la pureté. Blanc comme le corps inerte de la jolie Margarita.

Immaculé comme la mort d'une vierge.

La grande silhouette se faufila rapidement jusqu'au portail de l'église, poussa sans ménagement la lourde porte de chêne et se précipita jusqu'au confessionnal sculpté dans un bois aussi sombre que les péchés qui y avaient été révélés. Ensuite vint le silence, un long silence seulement interrompu par le craquement des bancs travaillés par l'humidité. Peu à peu, une faible voix se fit entendre. Entre deux sanglots, on devinait la récitation d'un Pater Noster *ainsi que des bribes de phrases où il était question de volonté toute-puissante, de justice immanente et de fautes pieusement rachetées. Étrangement, cette confession n'était recueillie par personne, nul prêtre n'ayant pris place auprès de la silhouette. Mais il ne fallait chercher aucune folie dans ce long monologue entrecoupé de pleurs et de prières; il s'agissait d'une confession adressée au seul qui pourrait la recevoir : Dieu.*

Ensuite, un éclat de rire se fit entendre dans ce petit coin sombre de l'église, emplit la nef et les travées et s'éleva jusqu'aux plus hautes voûtes de l'édifice. Il s'insinua à travers les colonnettes sculptées et les tubes brillants du grand orgue; il franchit les vitraux colorés et envahit l'extérieur en courant de rues en ruelles.

À présent sereine et bien résolue à ne pas se laisser corrompre par le Malin et ses complices sur terre, la silhouette traversa la longue nef à larges enjambées.

Elle poussa la porte et s'arrêta quelques secondes sur le parvis de l'église, le temps de respirer profondément et de ressentir une réjouissante impression de bien-être. L'air était déjà plus pur, grâce soit rendue au Seigneur ; tout n'était donc pas perdu.

10

Le vieux Bartolomeo soupira d'aise. Quel bonheur! Pour un peu, il aurait eu l'impression de se retrouver chez lui, dans un confortable palais florentin. Oublié ce terrible voyage, digérés les repas barbares, guéries les courbatures… Décidément, ce Tommaso Portinari savait à la perfection ce que vivre voulait dire. Son palais brugeois évoquait à s'y méprendre l'ambiance qui régnait dans les plus belles demeures florentines et guérissait comme par magie tous les accès de nostalgie du pays.

Le responsable de la filiale des Médicis à Bruges avait tenu à respecter les meilleures règles de l'hospitalité pour accueillir ses invités. Il leur avait proposé de s'offrir un brin de toilette en leur faisant préparer un bain aux essences les plus fines, gagnant ainsi l'éternelle reconnaissance du domestique de Rienzi, qui ne s'attendait pas à bénéficier d'un traitement d'ordinaire réservé aux plus nobles visiteurs. Comme à son habitude, Leonardo fut discret mais il ne bouda pas son plaisir; tout au plus songea-t-il que leur hôte devait diablement avoir envie de se faire bien voir pour accueillir ses hôtes avec autant de prévenance.

Les voyageurs en étaient à déguster de fins confits de légumes spécialement importés de Toscane par le maître de céans lorsque la venue de Lorenzo fut annoncée.

Portinari, qui avait plutôt l'habitude d'étaler toute sa superbe face à ses visiteurs, se distinguait en cette heure du jour par un déploiement de modestie inédit. Il avait adopté une mise des plus discrètes, qui avait étonné ses employés, et banni toute pierre précieuse par trop ostentatoire, à l'exception d'un anneau d'or orné d'un petit saphir qu'il portait toujours à l'index gauche. Comparé à lui, Lorenzo, qui venait de faire son entrée dans la pièce, étincelait de mille feux. D'emblée, les rôles étaient distribués, au moins en apparence ; il restait à s'assurer que celui qui jouait si bien le personnage de l'humble serviteur n'était pas en fin de compte le véritable maître de la partie d'échecs qui allait s'engager.

— *Signore* Rienzi, c'est pour ma maison, mes gens et moi-même un grand honneur que de recevoir le représentant d'une aussi illustre famille. Mon propre père a souvent eu l'occasion de me parler du vôtre dans les termes les plus élogieux. Nous espérons que vous ne manquerez pas de nous raconter les dernières nouvelles de notre bonne ville qui nous manque tant.

— J'ai ouï dire que le duc n'est pas à Bruges pour le moment.

Rienzi était bien décidé à ne pas se laisser endormir par les multiples civilités dont l'assaillait Portinari qui, en retour, était trop fin pour s'étonner ouvertement de la froideur de l'invité qui lui avait été imposé.

— En effet, sa grandeur s'est rendue sur le Rhin pour faire entendre raison à Frédéric III, qui a décidé d'attaquer la Bourgogne. Après Cologne, l'empereur sera bientôt en vue de Neuss, et l'affrontement semble cette fois inévitable. Mais nous avons toute confiance en la grande puissance du Téméraire. Ne craignez rien.

Grâce à Dieu et à la force des troupes de Bourgogne, nos intérêts seront bien préservés.

— Les vôtres peut-être ; pour ce qui est des nôtres, nous verrons…

La voix de Rienzi s'était faite cassante. Un autre affrontement venait de naître à l'ombre des élégantes voûtes du palais Bladelin. Nul ne pouvait encore prévoir s'il serait aussi meurtrier que le combat qui allait bientôt être livré pour sauvegarder la grandeur du duché de Bourgogne. Après le règne fastueux de Philippe le Bon, la Flandre subissait plus qu'elle ne soutenait celui de son fils Charles. Le premier avait été fin politique et avait compris que la prospérité de ses États était directement liée à la préservation de la paix et à une politique d'impôts très raisonnable pour ne pas mécontenter ses peuples. La Flandre des marchands, des artisans et des pêcheurs lui avait été reconnaissante de cette sage politique et avait prospéré au-delà de toute espérance.

Charles, qui avait affronté son père à de nombreuses reprises à la fin de son règne, avait fini par se réconcilier avec lui sur son lit de mort. Beaucoup espéraient qu'il suivrait le chemin tracé par son père, mais, rapidement, les cités flamandes déchantèrent en constatant la soif de gloire et de grandeur qui habitait le nouveau duc. Jamais la Flandre n'aurait pu souscrire à la politique guerrière de celui qui se faisait appeler le Téméraire, mais qui aurait également pu être surnommé le Grand Ponctionneur, tant la pression fiscale qu'il imposait à ses États était toujours plus forte. De leur côté, les banquiers florentins avaient choisi leur camp et finançaient la soif de conquêtes du duc flamboyant, qui pourrait un jour leur rembourser leur soutien indéfectible. Face à Louis XI, l'énigmatique roi de France, rusé comme un renard et sournois comme une vipère, et à l'empereur germanique Frédéric III qui se sentait pousser des ailes, le duché de Bourgogne tel que l'avait légué Philippe le Bon était à présent en grand danger. Spectatrice impuissante d'un désastre prévisible, Bruges était aux premières loges de ce qui pourrait bientôt signer sa propre déchéance.

11

Trois gros coups venaient de retentir sur la porte. Ils furent immédiatement suivis d'une vocifération.

— *Mijnheer* Linden, il est déjà 8 heures, je pense que vous ne voulez pas être de nouveau en retard.

Comme chaque matin, Pieter fut subitement rappelé au monde des réalités alors qu'il était encore plongé dans le plus profond sommeil. Cette fois, il n'avait pas abusé de nectar de houblon, mais il avait passé une nuit agitée, parcourue de visions cauchemardesques mettant en scène une belle vierge repêchée dans des eaux noires et profondes. Il lui tendait le bras, espérant qu'elle retrouverait la vie en remontant à la surface, mais il comprenait bien vite que rien ne pourrait la sauver. Étendue sur la berge, il contemplait cette beauté sans vie et plongeait ses yeux dans son sourire énigmatique, un sourire dont se dégageait une étrange sensation de sérénité et de paix retrouvée. Rien à voir avec les vociférations de la logeuse qui venait de le réveiller.

— Vous savez ce que je pense de votre travail. Mais tant que vous serez chez ce Memling, au moins je serai sûre de percevoir votre loyer à temps.

— Oui, oui… J'y vais. Merci de m'avoir réveillé. Je vous l'ai promis, madame De Coster, je payerai deux mois d'avance dès que j'aurai reçu mon premier salaire.

Pendant que Pieter s'habillait, la conversation se poursuivait.

— À propos, prenez garde de ne pas trop traîner du côté des quais ; j'ai entendu dire qu'on y avait repêché un cadavre. Jésus, Marie, Joseph… si ce n'est pas malheureux ! Cette ville devient invivable pour les honnêtes gens. Vous n'en sauriez pas plus, des fois que vous auriez été saluer votre oncle à la taverne ?

Le jeune homme savait que sa logeuse disposait d'un véritable réseau de renseignements à travers toute la ville, grâce à ses multiples collègues avec lesquelles elle échangeait les derniers commérages ; ainsi, elle avait dû être informée de sa balade de la veille au soir. Il décida néanmoins de mentir en lui affirmant qu'il n'était au courant de rien. Comme il avait fini de se vêtir, il poussa prestement la porte, qui manqua percuter la logeuse interloquée, et dégringola les escaliers, se précipitant chez Memling pour affronter courageusement sa deuxième journée de travail.

Dans la vaste bâtisse en pierre de la Sint-Jorisstraat, l'agitation était à son comble. Magda tançait vertement Baert qui avait laissé traîner des cruches vides dans la cuisine, tandis que le jeune Dirk courait entre les jambes du géant comme s'il cherchait à l'excéder encore plus. À vrai dire, le gamin fut le seul à s'apercevoir que Pieter était arrivé. Il abandonna Baert et se précipita vers l'apprenti avec l'air entendu qu'adorent prendre les enfants lorsqu'ils sont persuadés de détenir une information de la plus haute importance.

— C'est toi le nouveau ? J'ai beaucoup entendu parler de toi à l'atelier ; on raconte que tu es le petit protégé du gros aubergiste Maximiliaan et que mon oncle a été obligé de t'engager sans même savoir de quoi tu étais capable…

— Eh bien, les nouvelles vont vite ici, mais si tu veux mon avis, je te conseille de ne jamais croire les médisances des gens sans en avoir la preuve.

— Oh tu sais, c'est Van den Bosch qui m'a raconté tout cela, et moi, je ne lui fais pas confiance. Aujourd'hui, il est tout à son affaire ; mon oncle lui a confié la responsabilité de la réalisation d'un portrait. Un prince italien, tu te rends compte, un soldat avec une épée magique. Il a même promis que je pourrais l'emprunter pour aller combattre les méchants ennemis de notre duc.

Dirk avait entrepris de mimer fébrilement un combat avec des ennemis imaginaires quand son oncle pénétra dans la pièce. Memling portait une farde d'esquisses et invita Pieter à le suivre dans l'atelier et à cesser d'écouter les sottises de son neveu.

Malgré son embonpoint, le peintre conservait une foulée de jeune homme, à tel point que Pieter se surprit à forcer le pas pour arriver à le suivre. Une fois arrivé dans l'atelier, il dut affronter le sourire triomphant de Hans Van den Bosch, qui trônait au milieu de la pièce tout en dispensant des ordres à ses deux compagnons. Pieter remarqua tout de suite que l'élève avait adopté une de ces tuniques amples arrivant au bas des genoux, comme celles qu'affectionnait le maître lorsqu'il travaillait. Il se tenait face à un chevalet prêt à commencer son ouvrage ; bref, il ne manquait plus que le modèle. Nullement impressionné par ce tableau somme toute cocasse, Memling prit la parole, histoire de donner ses derniers conseils et de rappeler par la même occasion qu'il était encore maître chez lui.

— Hans, je constate avec plaisir que tu es prêt à commencer. Tu sais à quel point cette commande est importante et doit être réalisée dans les délais les plus courts. Compte tenu de mon travail, j'ai décidé de te confier cette tâche, mais ne t'inquiète pas, je suivrai étroitement son avancement, car il en va de la réputation de mon atelier. Par ailleurs, j'ai décidé de t'adjoindre le jeune Pieter Linden. J'ai déjà eu l'occasion d'apprécier sa technique au niveau des couleurs, et vous ne serez pas trop de deux pour mener cet ouvrage à bien ; ce sera pour lui la meilleure manière d'apprendre son métier.

À ces mots, le premier élève du maître devint plus blême encore que la toile face à laquelle il se trouvait, mais il s'abstint néanmoins de tout commentaire, comprenant que rien ne ferait revenir Memling sur sa décision. Pieter n'ouvrit pas la bouche et fut aussitôt partagé entre deux sentiments contraires : une immense fierté de voir que le maître lui faisait confiance, et une véritable appréhension de la lutte ouverte qui ne manquerait pas d'avoir lieu entre lui et celui qui était devenu dès cette minute son ennemi juré.

12

Lorenzo et Leonardo avaient choisi de se rendre à pied chez Memling pour profiter des premiers rayons du soleil et du calme dans lequel baignait encore la ville à cette heure matinale. Les deux amis longeaient les canaux en prenant le temps d'admirer l'architecture raffinée des riches maisons bourgeoises. La mauvaise impression qu'ils avaient ressentie la veille en arrivant s'était à présent évanouie ; de toutes les villes qu'ils avaient parcourues depuis leur départ de Florence, Bruges était même celle où ils se sentaient le mieux. Malgré cette sérénité retrouvée, les deux jeunes hommes étaient soucieux, et le long silence qui régnait entre eux depuis le début de leur promenade devenait pesant. Leonardo, qui connaissait Lorenzo mieux que quiconque, prit l'initiative de le rompre.

— Je sais que tu enrages, Lorenzo, mais crois-moi, tu auras besoin de tout ton calme et de toute ta détermination pour mener à bien les affaires qui t'ont poussé à venir ici. Tu te souviens de ce que disait notre maître d'armes lorsque nous étions jeunes ? Il te répétait sans cesse que toute la force du monde ne te mènerait pas plus loin qu'un cheval fou lancé au galop contre un mur si tu n'arrivais pas à la canaliser…

— Tu m'as déjà rappelé cette histoire cent fois, je la connais par cœur. Mais tu vois, j'ai beau vieillir et prendre peu à peu de l'assurance, je n'arrive toujours pas à bien comprendre mon père. Il me confie une mission de confiance en me demandant de contrôler les comptes de la banque chez Portinari, mais il m'impose l'escorte de son valet pour mieux m'espionner. A-t-il vraiment foi en moi, oui ou non ?

Leonardo constata qu'il avait vu juste une fois de plus, et il fut soulagé de pouvoir parler enfin à cœur ouvert de ce qui torturait son ami depuis leur départ.

— Tu sais comme moi que ton père t'aime plus que tout au monde. En agissant de la sorte, peut-être cherche-t-il seulement à te protéger contre toi-même. Et puis, il redoute probablement que d'autres raisons t'aient poussé à accepter aussi facilement une mission de contrôle à première vue peu passionnante.

Lorenzo fit une moue de désapprobation, comme s'il voulait à tout prix chasser cette éventualité de son esprit.

— Et puis, avoue que tu as réussi à te débarrasser facilement de ton espion dès le premier jour ! Tu ne lui as même pas dit que tu t'absentais ce matin… poursuivit Leonardo.

— Pendant que je serai chez Memling, je compte sur toi pour t'informer et me ramener de bonnes nouvelles. Quelque chose me dit que personne ici n'est disposé à nous aider de quelque manière que ce soit.

Alors qu'ils arrivaient en vue de la maison du peintre, les deux hommes se séparèrent.

Lorenzo, animé d'un fol espoir, plaçait toute sa confiance en son ami pour rattraper le temps perdu.

Alors qu'il prenait la pose dans l'atelier, l'Italien se dit qu'il aurait encore tout le temps de ruminer ses pensées et d'échafauder les dénouements les plus heureux à son drame personnel. Il ne put toutefois s'empêcher d'observer la drôle de scène qui se déroulait sous ses yeux. Ici, le drame cédait le pas à la farce. Après avoir été accueilli par Memling en personne, qui l'avait assuré qu'il travaillait activement à la copie demandée, il avait fait connaissance des élèves et des apprentis du maître. Commença alors un étonnant ballet où il put aisément jauger le rapport de forces qui s'installait. Au centre trônait superbement Hans Van den Bosch, chargé de l'esquisse préparatoire et qui semblait bien déterminé à faire comprendre à tous qu'en l'absence de Memling, le seul maître de l'atelier, c'était lui.

Si les deux apprentis qui rangeaient docilement le matériel que leur chef utilisait ne remettaient pas en cause cette nouvelle hiérarchie, il n'en allait pas de même du plus jeune homme, à qui Memling avait confié l'étude préliminaire des couleurs. Ce dernier faisait mine de ne pas entendre les ordres de son compagnon et poursuivait sa tâche en affichant une indifférence, probablement feinte, qui avait le don d'énerver Van den Bosch. L'étrange manège de cette équipe fit sourire le Florentin, qui finit par trouver cette séance plutôt divertissante.

Pieter, lui, observait ce grand jeune homme dont la finesse aristocratique des traits soulignait encore l'élégance naturelle. Il songeait que c'était le genre d'homme à ne jamais paraître ridicule ni maladroit en aucune situation. Au premier abord, il l'avait trouvé prétentieux, mais il s'était rapidement aperçu qu'il n'y avait dans son comportement aucune vanité, mais plutôt l'héritage d'une éducation, l'habitude de fréquenter les plus grands et la conscience de vivre dans une ville sans égale, où le raffinement avait été élevé au rang d'art de vivre. L'apprenti avait vu, en l'espace d'un instant, naître et disparaître un petit sourire, et il avait surtout remarqué la tension extrême qui émanait de lui durant toute la matinée ; ses mâchoires étaient crispées et son regard aiguisé à la manière d'une dague prête à plonger dans le cœur d'un ennemi.

Même s'il ne le portait pas dans son cœur, Pieter ne pouvait que reconnaître à Van den Bosch un savoir-faire certain. Il lui avait suffi de quelques secondes pour capter la personnalité du modèle dans l'esprit et la douceur propres à l'œuvre du maître. Il avait été décidé qu'on présenterait l'homme en position de prière, les mains jointes et le regard droit, une bible posée sur une riche étoffe placée devant lui. La précision du geste de son rival poussait Pieter à se surpasser pour ne pas avoir à subir les railleries. Il commença par travailler sur le contraste qu'opposaient la noirceur extrême de la chevelure et la pâle pigmentation du visage. Comme il avait déjà eu le loisir de le constater, le maître pratiquait souvent l'opposition du noir, du blanc et du rouge pour équilibrer ses compositions. Il décida donc de faire porter au Florentin un élégant manteau de velours rouge rehaussé d'un col de fourrure de renard selon la mode du temps.

Pieter était absorbé dans ses pensées, cherchant quel rouge pourrait le mieux rendre la richesse de la matière, quand Magda entra précipitamment dans l'atelier. Sans le savoir, la gouvernante venait de lui donner une précieuse source d'inspiration, tant son visage était cramoisi après ce qui avait dû être une longue course à travers les couloirs de la maison, pour parvenir à l'atelier aussi vite que possible.

— Messire, votre ami est arrivé. Il vous prie instamment de le rejoindre au plus vite, il m'a dit que son affaire ne pouvait attendre.

En moins de temps qu'il n'en fallait pour le dire, Rienzi quitta l'atelier en laissant totalement éberlués les apprentis encore tout à leur ouvrage. Bien qu'ils fussent dévorés par la curiosité, ils s'abstinrent bien évidemment de questionner Magda et poursuivirent leur travail dans le plus grand silence. Pieter avait presque l'impression que ce départ précipité avait créé une certaine connivence entre lui et Van den Bosch. Ce dernier se chargea rapidement de dissiper ces illusions en lui assenant quelques remarques assassines sur le choix trop classique de ses couleurs, et principalement sur ce rouge sans objet dans une composition qui « de toute évidence » appelait le bleu. Pieter, qui commençait à s'endurcir, s'abstint de tout commentaire, mais il vit néanmoins arriver la fin de la journée avec soulagement.

Lorsqu'il quitta la maison du peintre, il se sentait fatigué et se résolut à rentrer vite chez lui. Quand il arriva en vue du beffroi, une silhouette jaillit du porche d'une maison pour l'y entraîner sans ménagement. Tout se passa si vite que Pieter n'eut pas même le temps de prendre peur. La silhouette se découvrit le visage.

— *Hemel!* Ciel, Emma! Mais qu'est-ce qui te prend? Si c'est un nouveau jeu, je te préviens tout de suite que je ne suis pas d'humeur!

— Moi non plus. C'est ton oncle qui m'envoie; il veut absolument te voir, mais à l'écart des regards indiscrets. Il te donne rendez-vous à la tombée du jour dans le vieil entrepôt aux étoffes, sur les quais. Sois-y, c'est important.

— Mais pourquoi tous ces mystères ? s'étonna encore Pieter.

Pour toute réponse, Emma lui mit le doigt sur la bouche, remit son capuchon et disparut tel un chat du diable, se faufilant à travers les badauds qui se promenaient sur le *Markt* en cette douce fin de journée.

13

Quelle mouche avait donc piqué Maximiliaan pour
lui donner rendez-vous dans pareil quartier ? Bien sûr,
Pieter n'était pas du genre peureux – on lui reprochait
même souvent son inconscience face au danger –, mais
il fallait bien reconnaître qu'il existait des endroits plus
sûrs à Bruges pour convenir d'une rencontre à cette
heure du jour. La construction des nouveaux entrepôts en brique avait peu à peu conduit à abandonner
les anciens hangars en bois qui étaient utilisés jusque-
là par les marchands. Certains avaient été détruits,
d'autres avaient brûlé après avoir été abandonnés ;
seuls quelques-uns avaient réussi à survivre pour le
plus grand bonheur des vagabonds et des gagne-petit
qui y trouvaient un abri inespéré à l'écart des tours de
garde, les soldats préférant ne pas s'y aventurer. Quand
il pénétra dans l'ancien dépôt aux étoffes, Pieter ne put
s'empêcher de songer à la jeune femme repêchée non
loin de là. Comment diable avait-elle été entraînée dans
un quartier aussi sordide ?

Le jeune homme fit un rapide tour du bâtiment sans
trouver son oncle. Il en déduisit immédiatement qu'il
ne s'agissait peut-être que d'une mauvaise blague
d'Emma ; la rousse se vengeait ainsi de n'avoir jamais
réussi à toucher son cœur. Pieter avait beau être jeune,
il n'était ni idiot ni puceau ; il avait compris depuis long-

temps qu'il ne laissait pas Emma indifférente, mais il savait aussi que Maximiliaan ne lui pardonnerait jamais de toucher à celle qui occupait une place particulière à ses côtés, à la fois employée et maîtresse. L'oncle Max avait connu une vie amoureuse agitée et il avait trouvé auprès de cette nature sauvage et attachante un appui solide et apaisant. Certes conscient d'être arrivé à l'automne de sa vie, il n'attendait pas d'elle de la fidélité, mais il n'eût jamais supporté, ni même imaginé, qu'elle puisse séduire celui qu'il considérait comme son propre fils.

Soudain, un craquement provint du fond du hangar où étaient entreposés de lourds cageots de bois vermoulu ainsi que quelques tonneaux en fort mauvais état. Pieter s'approcha prudemment des caisses pour s'assurer qu'il ne s'agissait pas d'un rat ou d'un chat effrayé par sa présence. Il eut juste le temps d'apercevoir deux formes s'échapper au-dehors et prendre place à bord d'une barque. Le jeune homme se préparait à essayer de les suivre quand il entendit une voix à l'autre bout du hangar…

— Pieter, viens ici, c'est moi.

Il reconnut la voix de son oncle et hésita quelques secondes à poursuivre les ombres quand Maximiliaan l'appela de nouveau.

— Que fais-tu ? Viens, je te dis, l'endroit n'est pas sûr.

— C'est que j'ai cru voir deux personnes, mon oncle. Je pense que nous ne sommes pas seuls.

— Nous avons peut-être dérangé de pauvres vagabonds qui comptaient dormir ici ; les nuits sont encore fraîches. Mais pour l'amour de Dieu, ne te soucie pas de cela, j'ai beaucoup plus important à te dire.

Pieter s'approcha de son oncle et fut frappé par la grosse chevelure bouclée blonde qui se détachait dans la pénombre de ce recoin de l'entrepôt. Maximiliaan n'était pas plus souriant que la veille, mais il prit cette fois le temps d'embrasser son neveu en l'invitant à s'asseoir en face de lui sur un billot de bois.

— Tiens, voici pour te remercier de ta peine ; je t'ai amené une cruche de bonne bière brune comme tu l'aimes. Elle m'a été livrée ce matin par des Anglais, tu m'en diras des nouvelles.

Pieter ne se fit pas prier et avala une généreuse rasade de cette bière dont le goût musclé tenait toutes les promesses contenues dans la couleur ambrée de sa robe.

Satisfait de son initiative, le gros aubergiste choisit ce moment pour entrer dans le vif du sujet.

— Pieter, tu sais que je te considère comme un fils. Je connais ton intelligence et je suis convaincu de ton talent. C'est d'ailleurs ce qui m'a poussé à te recommander à mon vieil ami Hans Memling.

— Ce dont je te serai éternellement reconnaissant…

— Garde pour toi tes remerciements, car mon geste n'était pas aussi désintéressé que tu pourrais le croire. Tu es encore jeune et donc loin de connaître toutes les histoires qui courent à travers la ville depuis longtemps. J'ai parlé de ton habileté mais aussi de ta discrétion à Memling, et c'est ce qui nous a poussés à te confier une mission difficile.

Pieter reprit une rasade de bière, sentant bien qu'il n'aimerait pas entendre ce qui allait venir. Il fit néanmoins de son mieux pour n'en rien laisser paraître.

— Tu sais que ton maître accueille actuellement un riche Florentin de passage à Bruges qui souhaite faire réaliser son portrait et mener à bien certaines affaires confidentielles. Par malheur, la sécurité de cet étranger n'est pas assurée, et nous nous sommes promis de veiller sur lui. Mais pour l'aider, nous devons savoir ce qu'il fait. C'est la raison pour laquelle nous t'avons chargé d'une partie de la réalisation de son portrait, et tu n'ignores pas qu'il s'agit d'une grande chance pour toi. En échange, tu devras le suivre et me tenir régulièrement informé de ses faits et gestes.

Pieter sentit subitement la bière bouillonner en lui. Il n'en croyait pas ses oreilles. Ainsi les sarcasmes et les quolibets de Van den Bosch se révélaient parfaitement exacts ; ce n'était pas son talent qui lui avait valu d'être remarqué aussi vite par le maître. Non seulement, on ne recherchait pas ses qualités de peintre, mais on voulait en plus faire de lui un espion, un vulgaire espion, pour des raisons qui lui échappaient complètement.

Maximiliaan devina les sombres pensées de son neveu et tenta de le rassurer.

— Je comprends aisément ce que tu ressens, mais je peux t'assurer que jamais *messer* Memling n'aurait accepté de te prendre à son service s'il n'avait été convaincu de ton talent.

Il s'interrompit quelques secondes, comme s'il voulait donner du poids à ses paroles, avant de poursuivre :

— Je compte sur ta bonne volonté, mais je préfère ne pas t'en dire plus pour l'instant. L'affaire est importante, elle engage même la réputation de toute la ville. Le fait de ne pas tout savoir te protège ; cela, je le dois bien à tes parents.

Après avoir longuement hésité sur les propos à tenir, Pieter sortit enfin de son mutisme.

— Soit, j'accepte la mission que tu me confies, mais tu ne pourras pas me laisser longtemps dans l'ignorance. Il en va de la vérité comme d'un portrait qui réussit à rendre toute la complexité d'un personnage ; elle ne tolère aucune zone d'ombre.

Ce soir-là, Pieter mit beaucoup de temps à trouver le sommeil, et, dès qu'il y parvint, il fut entraîné dans les méandres de son inconscient. Van den Bosch se présentait face à lui, revêtu de sa tunique de peintre, pour se moquer de son incapacité et railler le fait qu'il n'avait été engagé que par amitié. Les autres élèves ricanaient dans le fond de l'atelier tandis que Memling demeurait silencieusement assis sur une chaise, en train de contempler une toile recouverte d'un drap. Subitement, Van den Bosch se dirigeait vers le chevalet, remontait sa manche et, triomphant, découvrait la toile qu'admirait le maître. Sur la composition se tenaient en arrière-plan le seigneur Rienzi et Maximiliaan en attitude de prière ; une large étendue d'eau les séparait d'une jeune vierge très mince à demi émergée qui se tenait le visage entre les mains. Dans l'atelier, tout le monde commençait à féliciter Van den Bosch pour l'excellence de son travail, mais personne ne remarquait que l'eau avait commencé à couler du tableau, une eau glaciale bientôt mêlée d'un mince filet rouge sang qui se répandait dans la pièce. Pieter voulait les prévenir et poussait un cri désespéré que les autres faisaient mine de ne pas entendre. C'est à ce moment-là qu'il se réveilla et se redressa dans son lit.

Loin de l'avoir décontenancé, ce cauchemar avait conforté sa résolution. Il se trouvait désormais confronté à un double défi : percer le mystère qui entourait la venue du riche Florentin tout en prouvant son talent, afin que Memling voie en lui plus que le docile neveu d'un de ses meilleurs amis. Il se leva et se dirigea vers la fenêtre de sa chambre pour contempler le ciel constellé d'étoiles ; il avait hâte que le matin se lève pour mener à bien les missions qu'il avait acceptées.

14

Lorenzo ne remarqua même pas l'arrivée de Pieter dans l'écurie. Le Florentin se tenait figé, debout, à deux pas du cadavre, et récitait une prière en italien. Pieter se pencha sur le corps du domestique et l'examina. Le marteau qui lui avait défoncé l'arrière du crâne avait dû tomber d'une poutre où étaient suspendus différents outils nécessaires à l'entretien des chevaux. Située au fond de la pièce, une petite échelle menait à une réserve de fourrage. Pieter grimpa jusqu'au sommet pour accéder à la plateforme. Il observa l'écurie à partir de ce point de vue et examina consciencieusement la poutre à laquelle étaient suspendus les marteaux, les pinces et les fers à cheval. Tandis qu'il redescendait, Tommaso Portinari, flanqué de son inséparable Alessandro et d'un domestique, avait rejoint le petit groupe. Le maître de la maison constata l'accident et, après s'être lamenté sur ce drame atroce, commença à tancer violemment son serviteur qui avait en charge l'entretien de l'écurie.

— Combien de fois t'ai-je dit de fixer correctement les outils à la poutre ? Je savais qu'un accident arriverait un jour... Décidément, tu ne vaux pas mieux que tous ceux de ta race. Et maintenant, tu as du sang sur les mains ! Me faire ça, à moi, et à mes prestigieux invités. Ah ! mes amis, c'est un grand drame ! Je vous promets que ce bon à rien sera châtié sans complaisance, mais cela ne fera pas revenir votre bon Bartolomeo à la vie !

Le garçon d'écurie était pétrifié, ne comprenant visiblement rien au drame qui venait de se dérouler et dont on l'accusait à présent. Pieter constata que, malgré son effroi, il fixait avec intensité la poutre fatale.

Le pauvre hère fut arraché à son observation quand Alessandro lui saisit le bras pour le mener au-dehors. Portinari appela deux serviteurs pour enlever le corps et le porter à l'intérieur du palais. Ensuite, il convia ses invités à le suivre pour boire quelque chose de fort et tenter de se remettre de leurs émotions.

Alors qu'il se préparait à sortir de l'écurie, toujours sans avoir prononcé un seul mot, Lorenzo sentit qu'on retenait sa manche. C'est à ce moment qu'il sortit de son état de choc et reconnut le jeune apprenti de Memling.

— Prenez garde, seigneur, je pense que vous courez le plus grand danger dans cette maison. J'ai compté six crochets à la poutre ; à chacun d'entre eux est attaché un outil ou des fers à cheval. De toute évidence, le marteau n'était pas suspendu à la poutre ; il a été volontairement jeté sur votre domestique quand il est entré dans l'écurie.

Rienzi ne semblait pas étonné de cette révélation.

— Je n'en ai jamais douté et je pense que si ce pauvre Bartolomeo n'avait pas porté ma cape sur ses épaules, il serait encore occupé à s'empiffrer dans les cuisines. La vérité, c'est que la mort n'a pas voulu de moi.

Il crispa sa main sur le pommeau de son épée et poursuivit :

— Jeune homme, je vois que vous êtes venu me présenter les esquisses que vous avez réalisées hier. Je vais vous accompagner chez votre maître pendant que

Leonardo m'excusera auprès du seigneur Portinari, car j'ai grand besoin de changer d'air…

Depuis longtemps, la petite fille avait appris à lutter contre la douleur et la fatigue, mais, quelquefois, la tentation était trop forte. Petit à petit, l'image du Christ commença à se brouiller avant de s'estomper totalement. Insensiblement, la douleur qu'elle ressentait au contact de ses genoux, pourtant endurcis, sur le carrelage froid de la petite pièce s'évanouit. Les visions terribles du Jugement Dernier, où les damnés étaient précipités dans les flammes de l'Enfer sous les coups de fourche des démons, firent place à une représentation du Paradis ; un univers de douceur et d'amour où les privations et les pénitences seraient remplacées par des jeux joyeux au milieu d'un grand jardin baigné de soleil. Hélas, un coup de tonnerre assourdissant vint assombrir le ciel bleu azur. Une gifle violente venait de tirer la fillette de ses rêveries. Le choc était tel qu'il résonnait encore dans toute la maison de brique rouge.

— *Dans sa mansuétude, Dieu est prêt à te pardonner, mais il exige de toi toute la rigueur et la volonté du monde. Remercie-le pour sa grande bonté, et prie afin de ne pas retomber dans les griffes du péché.*

La petite fille se redressa, joignit les mains et, entre deux sanglots, se remit à contempler l'image du Christ rédempteur des fautes des hommes.

— *Prends garde, petite écervelée, l'ombre des démons erre dans la ville. Si tu ne respectes pas la volonté de notre Seigneur, personne ne pourra plus rien pour toi.*

La porte se referma, laissant l'enfant seule avec l'image d'un Dieu qu'elle aurait voulu amour, mais qui n'était en ce bas monde que souffrance.

15

Pour gagner la maison de Memling, Rienzi et Pieter empruntèrent le pont des Augustins, dont les trois arches à claveaux alternativement sombres et clairs enjambaient le canal. Même confronté à une situation totalement inédite pour lui, Pieter ne pouvait s'empêcher d'admirer les petits détails qui faisaient de sa ville l'une des plus belles du monde. Le long des parapets, des commerçants s'installaient chaque matin pour y vendre les denrées les plus diverses : poisson de la mer du Nord, volaille et viande des polders, légumes et fruits des campagnes environnantes… Il régnait sur ces petits ponts de Bruges une vie pleine d'effervescence.

Apaisé depuis qu'il avait quitté la lourde atmosphère du palais Portinari, le Florentin s'étonnait de trouver quelque agrément à la promenade. La violence du geste qui venait d'être commis prouvait qu'il était sur la bonne voie, et la disparition de son encombrant valet – même s'il ne l'avait pas souhaitée – lui conférait une totale liberté d'action, qu'il comptait bien mettre à profit.

— J'ai l'impression d'être arrivé ici depuis une éternité. Quand je vois le calme qui règne dans les rues aujourd'hui, je ne puis que mesurer le contraste avec l'hostilité que nous ont manifestée les Brugeois lors de notre entrée en ville.

— Ne nous jugez point trop prestement, seigneur. Notre ville est ouverte aux étrangers et tolérante tant que rien n'entrave la bonne marche des affaires. Vous savez, ici, nombreux sont ceux qui regrettent l'époque du bon duc Philippe et reprochent à son fils Charles sa folle politique de conquête. Ses excès fiscaux et son autoritarisme ont fini par le rendre impopulaire, même auprès des fidèles sujets qui respectaient son père. Les Brugeois savent que les Italiens financent ses campagnes militaires, et beaucoup de bourgeois d'ici ne vous le pardonnent pas.

Rienzi était étonné de la parfaite maîtrise politique du petit apprenti, mais il fit mine de ne pas être surpris.

— Tu dois aussi nous comprendre. Nous autres banquiers ne sommes pas là pour faire de la politique, mais des affaires. C'est un peu comme lors d'une course de chevaux ; nous avons misé sur un équipage, et il faut à présent qu'il remporte la partie, sinon nous perdrons toute la mise.

— Certes, mais il faudra s'attendre à un retour de flamme si le Téméraire vient à trébucher avant la ligne d'arrivée, ajouta Pieter.

— Quel drôle d'apprenti tu fais… Tu me parles politique comme si tu tenais la destinée de la ville entre tes mains. Tu te trouves à mes côtés quand je débarque auprès de ton maître, et tu apparais comme par enchantement quand je retrouve mon domestique assassiné. N'es-tu pas disposé à me dire enfin quel le place tu occupes dans ce jeu implacable ?

Pieter ralentit le pas.

— N'ayez crainte, je suis de votre côté, même si je ne sais pas véritablement pourquoi (il chuchota la fin de sa phrase). Las, je n'ai pas l'adresse consommée des Florentins pour mener les intrigues les plus subtiles, mais j'apprends à ouvrir mes yeux et mes oreilles en même temps qu'à manier le pinceau. À ce propos, vous ne m'avez toujours pas dit ce que vous pensiez des esquisses…

Rienzi se saisit de la farde, s'assit sur un muret et commença à contempler la toile. Ses traits paraissaient avoir été ciselés à la manière des orfèvres qui œuvrent sur les rives de l'Arno. Son abondante chevelure noire ne faisait que souligner la noblesse de ses traits, mais il émanait de son visage une sourde inquiétude qui n'avait pas échappé à Van den Bosch lors de la séance de pose. Pour parfaire l'esquisse, Pieter n'avait écouté que son inspiration, en opposant franchement le rouge et le noir.

Rienzi détailla longuement l'esquisse avant de rendre son verdict.

— On ne m'avait pas menti; l'atelier du maître Memling est bel et bien le meilleur de la ville. J'espère seulement que nous arriverons à faire disparaître cette inquiétude qui se lit sur mon visage avec autant de facilité qu'une enluminure dans un vieux livre d'heures. Et puis, je m'interroge sur la pertinence de ce rouge qui me semble un peu trop violent. Mais peut-être ai-je déjà vu trop de sang depuis que je suis ici pour ne pas craindre cette couleur…

Pieter ne releva pas la remarque, mais il pria saint Luc que jamais Van den Bosch n'en prenne connaissance.

— Bien joué! cria Portinari, sans se retourner vers l'homme qui se tenait dans le fond de la pièce.

Pour tenter de calmer ses nerfs, il brisait machinalement des bûchettes qu'il jetait nerveusement sur le contrecœur[1] de la grande cheminée.

---

1. Fond de cheminée contre lequel on disposait le bois à brûler.

— C'est une lamentable méprise, seigneur, mais il n'est pas trop tard pour agir… tenta de justifier Alessandro.

— Silence! Personne n'est dupe. Cette grossière maladresse risque de nous coûter très cher. Il ne te reste plus qu'à prier le Diable pour avoir une chance de réparer le mal que tu as commis.

Une grosse bûche craqua dans l'âtre comme pour appuyer la menace que venait de proférer Portinari à son âme damnée. Le banquier daigna enfin se retourner et ficha son regard dans celui d'Alessandro.

— Aujourd'hui, tu as perdu l'occasion de te distinguer et une grande partie de ma confiance. Il faut à présent réparer tes erreurs et trouver un coupable. Alors, écoute-moi. Ce qui est arrivé est un regrettable accident dont le seul responsable est notre garçon d'écurie incompétent. En guise de châtiment, nous le ferons chasser de la ville avec interdiction formelle d'y remettre un jour les pieds. C'est compris?

Alessandro écouta le verdict de son maître sans ciller.

— Il en sera fait selon ta volonté, maître. Je mettrai tout en œuvre pour reconquérir ta confiance et te rendre tous les bienfaits dont je te suis redevable. Crois-moi, tu conserveras un bon souvenir du séjour brugeois de ton visiteur.

16

En quittant l'atelier, Pieter était particulièrement satisfait de sa journée. Memling était venu inspecter le travail de ses élèves et l'avait aimablement complimenté sur le choix de ses couleurs. La bénédiction artistique du maître dispenserait au moins Pieter de devoir subir les sempiternelles leçons de Van den Bosch.

Même s'il ne se l'avouait pas, Pieter avait un autre motif de satisfaction ; son enquête progressait vite. Il avait eu l'occasion de dialoguer en toute confiance avec Rienzi et avait été témoin d'un événement capital. Il jugea donc naturel de prendre le chemin de la *Chope d'Argent* pour aller narrer en détail sa journée à son oncle et en profiter pour le faire parler davantage.

Un équipage d'Écossais venait d'accoster en ville et avait bien évidemment jeté l'ancre dans la taverne la plus réputée. Emma avait fort à faire pour les contenter, d'autant plus que ces géants roux ne faisaient pas mentir leur réputation de gosiers généreux. La jeune femme se faufilait entre les tables avec l'adresse et la légèreté d'une chatte courant au sommet des toits.

Les marins laissaient s'égarer leurs grosses mains sur ses seins et ses fesses, mais la féline, prompte à s'esquiver, parvenait toujours à se dégager. Soudain, un Écossais plus hardi que ses compagnons saisit sa taille et la força à s'asseoir sur ses genoux. Loin de se

laisser démonter, Emma lui renversa une chope sur la
tête en provoquant l'hilarité générale parmi ses cama-
rades. Maximiliaan avait assisté à toute la scène sans
intervenir. Il savait que sa serveuse n'était pas du genre
à se laisser faire et que, de toute manière, elle était plus
sensible au charme raffiné des Italiens qu'à la lourdeur
saxonne des fils du Nord. Quand il vit son neveu entrer
dans la taverne, Max lui fit signe de venir le rejoindre
au comptoir et, sans lui demander, prit l'initiative de lui
servir une pleine chope de bière blonde.

— Tiens, mon espion, voilà pour te féliciter de ta
première journée d'enquête. J'ai ouï dire que tu avais
eu le nez fin de te rendre chez Portinari ce matin…

Pieter fut un petit peu déçu de ne pouvoir surprendre
son oncle, mais il se résigna bien vite, sachant que
celui-ci était toujours bien informé de ce qui se passait
dans la ville.

— D'après Portinari, ce n'est qu'un regrettable accident dû à la maladresse de son garçon d'écurie, mais
je n'y crois goutte ; il s'agit bel et bien d'un meurtre
grossièrement ficelé. Le marteau ne peut pas être tombé
accidentellement puisqu'il n'a jamais été suspendu à
la poutre d'où il est censé s'être détaché. J'ai tout exa-
miné ; il n'y avait pas de clou pour le suspendre, ni sur
la poutre ni même tombé à terre. Quant au domestique
de Rienzi, malheureusement pour lui, il portait la cape
de son maître et a payé à sa place. Dans la pénombre, la
confusion était facile à faire.

— Comment a réagi Portinari ?

— Il a parfaitement joué son rôle d'hôte sincère-
ment désolé du drame qui endeuillait le séjour de ses
invités. Il est réellement très fort et a même réussi à
devancer toute tentative d'enquête en imposant la thèse
de la négligence et en chassant prestement son garçon

d'écurie qu'il tient pour seul responsable de tout ce qui est arrivé.

Maximiliaan avala sa chope d'un seul trait et devint rêveur...

— Les choses se précipitent, mais cette maladresse est plutôt une bonne nouvelle pour notre ami Rienzi. Après une telle erreur, il est en sécurité, en tout cas au palais Bladelin. Je pense qu'ils ne courront pas le risque d'éveiller les soupçons en recommençant.

Enhardi par le houblon et le petit clin d'œil complice que venait de lui lancer Emma, qui avait provisoirement abandonné sa bande d'Écossais, Pieter osa affronter son oncle de front.

— Cette fois, l'affaire est trop grave pour que tu esquives à nouveau mes questions. Tu en sais beaucoup plus long que moi et tu me demandes pourtant de mener ton enquête, c'est absurde. Pourquoi Portinari peut-il impunément tenter d'assassiner ses invités sans encourir de poursuite ? En quoi Memling est-il mêlé à toute cette affaire ? Et quel est le lien de cette histoire avec la découverte du corps de Margarita Demeester, car je suis certain qu'il en existe un !

Maximiliaan se rembrunit avant de répondre à son neveu. Son débit lent trahissait le fait qu'il cherchait ses mots afin de ne pas commettre d'impair...

— Ne te précipite pas, Pieter, songe au charpentier de marine qui construit une caravelle. Dans cet enchevêtrement sans logique apparente, chaque pièce de bois trouve sa destination et son efficacité à condition d'être placée au bon endroit. Sans cela, le navire prend l'eau et coule à pic. Tu ne voudrais qu'il en soit ainsi de ton enquête ? Je t'ai souvent expliqué que les notions de bien et de mal étaient relatives, et n'oublie pas que tous les éléments doivent être pris en compte avant de prononcer un jugement, même si certains d'entre eux nous échappent. Tiens-en toi à ta mission et n'essaie pas de juger trop hâtivement les acteurs de cette histoire, car les apparences sont trompeuses. Contente-toi de ne pas lâcher Rienzi d'une semelle, et tâche de le protéger dans la mesure du possible. Contre les autres bien sûr, mais aussi contre lui-même.

17

En quittant la *Chope d'Argent*, la résolution de Pieter était prise. Il n'avait pas dû beaucoup insister pour convaincre Emma de lui dire où il pourrait trouver ce qu'il cherchait, et avait pris sans attendre la direction de l'hôpital Saint-Jean. La construction de ce grand édifice, dont la réputation dépassait les murs de Bruges, avait commencé deux siècles plus tôt ; le style roman et le style gothique s'y mêlaient harmonieusement. Pieter connaissait bien les lieux pour y avoir souvent rendu visite à sa mère pendant sa longue maladie. Il avait eu l'occasion d'apprécier le grand dévouement des sœurs qui officiaient ici, mais aussi les limites de leur science qui n'avait pas pu empêcher sa mère de succomber à cette mauvaise toux qu'elle avait contractée au sortir de l'hiver. Il se souvenait de la sourde angoisse qui l'étreignait lorsqu'il arrivait chaque matin, craignant de voir le lit de sa mère vide et d'affronter l'insupportable réalité. Aujourd'hui, ce n'était pas vers la salle commune qu'il se dirigeait à la faveur du crépuscule, mais vers la petite chapelle. À cette heure du jour où les religieuses s'affairaient à distribuer les repas, le lieu était totalement désert ; seuls ses murs semblaient s'animer grâce à la lueur des cierges qui illuminaient la nef.

Pieter se dirigea lentement vers le chœur et s'assura que personne ne l'avait remarqué. Devant l'autel avait

été dressé un catafalque sur lequel reposait le corps
d'une jeune fille aux traits fins et à la peau blanche.
Pieter avait rarement vu des cadavres. Cela lui faisait
toujours un drôle d'effet ; et il n'avait encore jamais eu
l'occasion de voir de près le corps sans vie d'une aussi
jolie jeune fille. L'apprenti n'avait pas rencontré la fille
Demeester de son vivant, mais son visage lui semblait
familier tant les rêves à son propos étaient précis.

La toilette du corps avait été bien faite, et plus rien
ne pouvait laisser supposer le séjour aquatique de la
jeune fille. Elle semblait dormir, sereine dans l'océan
de la mort et presque irréelle, habillée de sa longue
robe blanche. Un voile blanc dissimulait ses cheveux,
son cou et la naissance de sa poitrine que soulignait une
chaîne ornée de cinq pierres et trois perles. Poussé par
la curiosité, Pieter releva le voile et inspecta le corps
avec minutie. Les mains jointes en position de prière
étaient graciles et raffinées comme celles des jeunes
filles qui ont l'habitude de se faire servir. Même si
le moment était particulièrement mal choisi, le jeune
homme ne put s'empêcher de songer aux remarques
d'Emma qui ne pouvait pas sentir les jeunes oies
blanches de la haute bourgeoisie. Il observa le long cou
de Margarita. Des traces rougeâtres étaient imprimées
dans la chair sur tout le pourtour du cou. Étrangement,
les marques ne correspondaient pas à la chaîne que portait la jeune fille. Pieter entendit un bruit de pas dans
le fond de l'église. Il replaça le voile sur le corps et se
dissimula derrière une colonne. Une vieille nonne qui
se raclait sans cesse la gorge venait changer les cierges
sur le grand candélabre du chœur. Quand la religieuse
eut fini son ouvrage, elle se signa devant le Christ de
l'autel et quitta la chapelle. Soulagé de ne pas avoir été
remarqué, Pieter s'éloigna à son tour de la nef pour lais-

ser reposer en paix l'infortunée jeune fille. Il en avait appris assez pour ce soir.

Dès que le jeune homme fut sorti, une ombre noire jaillit hors du confessionnal, un poste d'observation discret d'où elle avait suivi toute la scène. L'ombre se précipita vers le corps de Margarita et lui baisa délicatement le front. Elle se mit à genoux devant l'autel et effectua une courte prière avant d'abandonner à son tour la chapelle à la faveur de la pénombre de la nuit.

18

Au beau milieu de la nuit, le pinceau du peintre courait et bondissait sur la toile avec douceur et souplesse. Formé par le grand maître bruxellois Rogier Van der Weyden, Hans Memling n'en avait pas moins exploré sa propre voie artistique en rejetant les types pathétiques et le réalisme exacerbé qu'affectionnait son maître, pour composer un univers qui tendait à l'idéalisation. Tout l'art du peintre consistait à adoucir les formes sans tomber dans la mièvrerie, à révéler le beau que chacun porte en soi sans nuire à la personnalisation de l'œuvre. La finesse des traits, la minceur de la peau, l'éclat du teint rendaient ses portraits plus attachants et plus humains que ceux de ses concurrents, comme s'ils étaient empreints d'une bienfaisante sérénité. L'élégance fragile de ses figures ondoyant en courbes douces reflétait une profonde intériorité dans laquelle toute tension était gommée.

La jeune fille portait son regard mélancolique vers un ailleurs non précisé. Ses cheveux étaient, selon la mode du temps, tirés en arrière et dissimulés sous une petite coiffe conique elle-même recouverte d'un voile translucide qui retombait avec grâce sur ses épaules. À la naissance de son large front, ses sourcils soigneusement épilés prenaient la forme de deux fins traits grisâtres qui mettaient encore mieux en valeur la couleur brune de ses yeux. Toute l'attention se portait sur le regard dont rien sur ce visage ne venait contester la prééminence. La ligne du nez était douce et menait à une bouche habilement figurée par deux lèvres au rose très discret. À la main gauche, elle portait trois paires de bagues d'or et, à la main droite, un simple anneau. Obéissant aux usages de la mode, certains bijoux étaient portés sur la deuxième phalange. La jeune fille était revêtue d'une robe mêlant avec harmonie le noir, le blanc et le rouge, une élégance subtile que soulignait un pendentif de perles et de pierres retenu à la maille fine d'une chaîne d'argent.

En s'éloignant quelque peu de sa toile pour constater le travail accompli, Memling poussa un profond soupir. Cela faisait déjà plusieurs nuits qu'il sacrifiait son sommeil à la réalisation de cette tâche hors du commun. Il lui tardait tellement que tout ceci soit fini, que les choses reprennent leur cours normal et qu'il puisse enfin oublier ce cauchemar. Dieu sait qu'il n'avait jamais ménagé ses forces pour progresser dans son art, devenir le maître incontesté dans son domaine et le bourgeois respecté qu'il avait toujours rêvé d'être. Mais à quoi cela pouvait-il bien lui servir de compter parmi les cent sept habitants les plus riches de la ville, si sa peinture avait le don de réveiller les démons assoupis ? Ses pinceaux étaient-ils devenus à son insu les fidèles instruments du Diable ?

Une apparition burlesque le tira de ses réflexions. La porte venait de s'ouvrir, et une grosse masse noire totalement hirsute portant une chandelle fit son entrée dans la pièce. Balançant entre la frayeur et une subite envie de s'esclaffer, le peintre mit quelques secondes à reconnaître Magda sous cette abondante tignasse blanche qu'elle mettait d'habitude un soin consommé à dissimuler. S'il avait envie de rire, Memling comprit rapidement qu'il n'en était pas question en jugeant du ton caverneux et passablement excédé de ce spectre improbable.

— *Mijnheer*, vous savez que je suis prête à tout pour vous servir le mieux possible et tenter de faire régner un semblant d'ordre dans cette maison qui en a bien besoin, mais il y a des limites que j'aimerais ne pas franchir. S'il vous prend l'envie de recevoir vos visiteurs au beau milieu de la nuit, libre à vous, mais trouvez quelqu'un d'autre à réveiller. J'ai servi dans les meilleures maisons de la ville, et jamais personne n'a osé me faire subir pareil traitement. Il ne faudra pas vous étonner si demain je laisse tout aller sans savoir comment je m'appelle, aussi vrai que mon nom est Magda De Visch !

Le peintre rassembla tout son courage afin de prendre l'air le plus sérieux et d'apaiser le courroux de sa fidèle gouvernante.

— Chère Magda, croyez bien que je n'étais pas au courant d'une visite nocturne, sinon je m'en serais chargé moi-même, ou j'aurais demandé à Baert de s'en occuper…

— Sauf votre respect, *mijnheer*, je vous ferais remarquer que les ronflements de Baert l'empêcheraient d'entendre l'armée du roi de France si elle se présentait tout entière sous nos fenêtres !

— Je vous présente à nouveau mes excuses. Mais peut-être pourriez-vous me dire qui vient nous rendre visite à cette heure avancée de la nuit ?

À ce moment précis, Lorenzo Rienzi apparut derrière Magda. Le Florentin avait assisté à toute la conversation, mais l'imposante carrure de la gouvernante et la pénombre dans laquelle était plongé le couloir avaient empêché Memling de constater sa présence.

— Je vous laisse, mais sachez que, pendant la nuit, les honnêtes gens dorment. Alors, si je peux me permettre de vous donner un dernier conseil, vous n'avez plus l'âge de jouer au peintre des étoiles.

— Mais oui, Magda, je vous promets que je ferai dorénavant attention. Ne vous inquiétez plus pour moi et allez vous coucher.

La gouvernante marmonna encore quelques mots dans un patois incompréhensible et sortit. Rienzi, qui ne se tenait plus de curiosité, se dirigea tout de suite vers la toile sur laquelle travaillait le maître.

— Pardonnez mon impatience. J'espère que votre gouvernante ne me tiendra pas rigueur de tout ce dérangement.

— Oh, elle en a vu d'autres, et vous pouvez compter sur sa discrétion. Elle est terriblement bavarde, mais elle peut se faire aussi discrète qu'une carpe quand les intérêts de ma maison sont en jeu.

Lorenzo Rienzi n'écoutait déjà plus ; il contemplait la toile avec intensité, et un silence pesant s'installa entre les deux hommes. Memling prit l'initiative de le rompre.

— Seigneur, j'ai été informé des tragiques événements qui ont endeuillé votre suite, et je me suis demandé si la commande tenait toujours…

— Rien ne change, *messer* Memling, vos pinceaux portent en eux la force vitale qui fait parfois défaut aux pauvres humains que nous sommes. Plusieurs affaires me retiennent encore dans cette ville, et croyez que cette commande n'en est qu'une parmi d'autres. Et puis, je crois que mon portrait est encore loin d'être achevé. Je suis très content de votre travail et je vien-

drai me soumettre bien volontiers à la torture de la pose
dans quelques heures. Bien entendu, je compte sur vous
pour conserver à notre affaire tout son caractère confi-
dentiel. Les Rienzi savent se montrer généreux pour
récompenser la belle ouvrage.

Memling se rassit devant sa toile et saisit un pinceau
pour continuer à travailler les lèvres du portrait. Rienzi
se plaça derrière le peintre, resta un moment songeur
et intervint.

— N'hésitez pas à donner un peu plus d'intensité
à la couleur de ses lèvres ; la tendresse de votre rouge
sera peut-être capable de refléter toute la chaleur d'un
baiser.

19

À la nuit tombée, certaines rues de Bruges étaient plus sûres que d'autres ; il suffisait de se promener dans les beaux quartiers du centre pour éviter les bandes qui rôdaient dans les zones mal famées. Le seul problème pour l'apprenti détective était alors d'éviter les rondes de garde qui faisaient régner l'ordre et rassuraient les bons bourgeois de la ville. Pieter fut satisfait d'arriver en vue du palais Bladelin sans se faire remarquer. Son objectif téméraire était de parvenir à l'intérieur afin de mener quelques recherches pour percer le trouble jeu de messire Portinari.

Tapi dans une encoignure de porte, il allait parvenir à bon port quand il remarqua deux gardes qui arrivaient au fond de la rue.

À mesure qu'ils se rapprochaient, il réussit à entendre leur conversation.

— N'empêche, depuis la mort de notre duc Philippe, plus rien ne tourne rond ici. Crois-moi, les marchands n'ont pas totalement tort…

L'autre répondit violemment.

— Tu ne vaux guère mieux qu'eux, tu es un lâche. Le courage du Téméraire est réputé aux quatre coins du monde, et notre devoir nous commande de tout faire pour l'aider à vaincre nos ennemis. Si je le pouvais, je me ferais enrôler dans sa troupe.

— Mais oui, je te vois déjà preux chevalier pourfendant les vils Teutons l'épée à la main…

— Attends, tais-toi !

— Quoi, tu voudrais me faire taire parce que tu dis des fadaises ?

— Non, idiot, j'ai entendu quelque chose par là, à gauche.

Les deux hommes se dirigèrent vers la maison où Pieter avait trouvé refuge. Le jeune homme retint son souffle et se colla dans le renfoncement du porche sculpté entre deux colonnettes armoriées.

— Allez, tu joueras les héros quand tu auras rejoint l'armée du Téméraire. En attendant, contente-toi de continuer à veiller sur le sommeil des bonnes gens de notre ville.

L'autre lança un petit juron mais obéit à son compagnon et poursuivit sa ronde. Pieter attendit que les deux hommes aient enfin tourné le coin pour relâcher ses muscles qu'il contractait depuis de longues minutes. Mais il ne se sentait pas rassuré pour autant ; il savait bien qu'il n'était pas l'auteur du bruit qui avait failli le faire découvrir. Le jeune homme n'eut pas le temps de réfléchir davantage ; il sentit une douleur violente s'insinuer entre ses omoplates. Il bondit hors de sa cachette et, comprenant qu'il allait perdre connaissance, il s'assit au milieu de la rue. À ce moment précis, il sentit son cou pris dans un étau et fut projeté face contre terre. Un deuxième coup de couteau allait lui être fatal quand il trouva assez d'énergie pour se redresser et repousser la silhouette contre le mur. L'ombre ne prononça pas la moindre plainte malgré la force du choc et, au lieu de revenir sur sa victime, elle choisit de s'enfuir sans demander son reste. Pieter chercha quelques secondes la raison de cette retraite inattendue, mais la comprit rapidement en voyant un homme accourir vers lui. Dans un état de faiblesse extrême, le garçon ne chercha même pas à identifier son sauveur.

Quand il reprit connaissance, il était allongé dans un lit tellement confortable qu'il se demanda l'espace d'un instant s'il n'était pas arrivé au Paradis, d'autant plus que deux petits anges se disputaient une grappe de raisin sur la tenture qui le surplombait. Il tourna lentement la tête et découvrit avec surprise le visage de Rienzi.

— Où… où suis-je ?

— N'aie crainte, tu es en sécurité dans ma chambre du palais Bladelin. Tu as reçu un coup de couteau dans le dos, mais la blessure n'est que superficielle. Leonardo a habilement nettoyé la plaie. Il a acquis une expérience remarquable dans sa vie de soldat et il m'a garanti qu'après quelques jours de repos, tout ceci ne serait plus qu'un mauvais souvenir. Mais que s'est-il passé ? Parle, si tu le peux…

Pieter se redressa dans le lit et grimaça en réveillant la douleur.

— Je voulais venir ici pour trouver de nouveaux indices concernant Portinari, mais j'ai été attaqué alors que je me dissimulais sous un porche pour échapper au contrôle du tour de garde.

— Mon pauvre ami, celui qui t'a fait ça t'avait vu entrer nuitamment dans le palais Bladelin. Une fois encore, on a dû me confondre avec un autre… Heureusement, je suis arrivé à point pour éviter le drame.

— Il serait peut-être temps de quitter cette maison où tout le monde semble s'être ligué pour signer votre perte, objecta Pieter.

Rienzi tira sa longue chevelure noire en arrière et répondit.

— Partir reviendrait à renoncer à la mission que je
me suis fixé. Parole d'honneur de Rienzi, il ne sera pas
dit que je renoncerai, il faut à présent que j'affronte
l'ennemi de face. Je demanderai à Leonardo de veiller
sur toi.

En guise de réponse, Pieter ferma les yeux et tenta
de trouver une position dans laquelle il ne sentirait plus
la douleur lancinante qui lui brûlait le dos. Bientôt, le
sommeil le rattrapa.

20

— Ma patience est à bout ! s'exclama Rienzi en faisant irruption dans le bureau de Portinari.

Malgré l'heure matinale, le représentant à Bruges des Médicis était déjà plongé dans ses comptes. Cette fois, il ne fit même pas l'effort de simuler l'étonnement face à l'attitude de son invité. Au contraire, il releva à peine le nez de ses documents et le laissa continuer.

— Portinari, écoutez-moi bien. Je sais que vous jouissez de toute la confiance des Médicis et que c'est à ce titre que vous bénéficiez d'une position enviée dans cette ville, mais cela ne fait pas de vous un intouchable.

Alerté par les éclats de voix, Alessandro poussa la porte et demanda à son maître s'il avait besoin de lui. Portinari déclina l'offre et le pria de les laisser seuls. Rienzi attendit que la porte se referme pour poursuivre son réquisitoire.

— Plusieurs banquiers florentins renommés, dont mon père, passent par votre intermédiaire pour financer les campagnes de guerre du Téméraire. Nous ne faisons pas de politique mais du commerce, avec pour seule ambition de gagner beaucoup d'argent. Une fois la victoire acquise, la cour de Bourgogne saura récompenser ceux qui l'ont aidée dans son entreprise.

Rienzi s'était rapproché de Portinari ; il n'était plus qu'à quelques centimètres de lui lorsqu'il précisa enfin son accusation.

— D'après nos informations, l'intégralité des sommes que nous destinons au duc ne lui parvient pas, et j'ai la conviction que vous n'êtes pas étranger à ces détournements. Dès que j'aurai les preuves, il vous faudra répondre de vos actes, devant notre famille et tous ceux qui ont eu la faiblesse de vous faire confiance. (Après un court silence, il ajouta :) Et croyez-moi, je ne vous laisserai pas le plaisir de me tuer pour dissimuler la vérité. Vos pièges sont grossiers, et vos maladresses répétées me font presque pitié.

Portinari conserva son calme et déposa sa plume sur son registre de comptes. Il se prit le visage entre les mains, se frotta lentement les yeux et but une pleine gorgée de son cher bouillon qui l'accompagnait du matin au soir, quelle que soit la saison.

— Je ne peux que vous donner raison quand vous affirmez que rien ne nous importe en définitive, sinon le fait de gagner de l'argent. Mais vous êtes encore bien jeune pour comprendre qu'en toute matière la politique n'est jamais totalement exclue. Si nous ne nous occupons pas d'elle, elle aura tôt fait de s'occuper de nous.

Portinari se leva et se dirigea vers un gros volume à la reliure brune posé sur un pupitre. Il le saisit et alla le poser sur la table.

— Nous avons consigné dans ce livre tout l'effort de guerre exigé par le Téméraire depuis qu'il a succédé à son regretté père. Vous savez, Rienzi, depuis que je suis ici, j'ai eu le temps d'apprendre à bien connaître cette ville et ses habitants. Les Brugeois ne sont pas des guerriers ; ils n'ont que faire d'honneurs et de batailles et, en cela, ils nous ressemblent assez. La colère gronde dans la cité, du petit peuple qui voit son commerce décliner aux édiles communaux qui se refusent à rendre la ville exsangue pour satisfaire les rêves de grandeur d'un tyran.

— *Basta !* Je n'ai que faire de ces considérations ! Il est question ici d'honnêteté et d'honneur. Vous vous croyez au-dessus de tous, mais vous n'avez accédé à cette place que par le bon plaisir de ceux qui vous paient, ne l'oubliez jamais !

Portinari planta ses yeux dans ceux de Rienzi avant de prononcer une réponse qui tenait davantage de la menace que de l'excuse…

— Sachez, *signore*, que j'estime n'avoir trahi personne, mais si vous continuez à mettre ma parole en doute en espionnant ma demeure et mes gens, notre prétendue maladresse dont vous vous gaussez pourrait bientôt avoir des limites.

Après avoir parlé, il se rassit et finit son bol de bouillon sans se départir de son calme. Conscient de son avantage, il reprit sa plume et poursuivit ses écritures afin de signifier son congé à son visiteur.

21

Après avoir demandé à Leonardo de veiller sur Pieter, Rienzi décida de se rendre sur le *Markt* pour rencontrer les édiles à l'hôtel de ville. Les proportions et la magnificence de la décoration de l'édifice en disaient long sur la volonté d'indépendance de la cité vis-à-vis de ses maîtres étrangers. Les Brugeois étaient fiers de ce vaste écrin de pierre, dont la construction, entamée au XIVe siècle, avait été achevée une cinquantaine d'années avant.

Le Florentin expliqua la raison de sa visite à un vieil huissier somnolent et se fit conduire dans la vaste salle gothique du premier étage. En attendant d'être reçu, son regard s'attarda au plafond et détailla la voûte en bois à pendentifs qui représentaient, dans un style alerte et vivant, des scènes de la vie de la Vierge et du Christ. S'il continuait à trouver ce foisonnement nordique passablement déséquilibré, et surtout terriblement démodé, il ne put s'empêcher de reconnaître le savoir-faire de ces artistes ainsi que leur maîtrise du travail du bois et des couleurs. Un échevin à l'air grave fit finalement son entrée dans la salle et l'invita à prendre place sur un banc. Rienzi lui exposa de manière succincte la raison de sa venue, sans préciser la nature de ses doutes sur les agissements de Portinari.

— *Mijnheer*, nous sommes toujours honorés de la venue d'hôtes de marque dans notre ville, mais vous devez savoir que les temps sont difficiles pour nos régions. Notre bon duc Philippe – Dieu conserve son âme en sa sainte garde – nous avait comblés de bienfaits. Grâce à lui, la prospérité régnait sur toute la Flandre et le commerce était florissant. Je ne vous apprendrai rien en vous disant à quel point il était aimé par ses peuples. Aujourd'hui, les choses ont bien changé ; les batailles du duc Charles mettent nos finances à mal, et, comme un malheur n'arrive jamais seul, l'ensablement progressif du *Zwin*[1] handicape gravement notre commerce.

— Que pouvez-vous faire ?

L'échevin fit un large geste pour exprimer toute l'étendue de sa désillusion.

— À vrai dire, très peu… Notre loyauté ne peut être prise en défaut, mais nous savons que certains bourgeois rechignent à payer les contributions qui nous sont imposées par la cour de Bourgogne. Nous tâchons de récolter les sommes exigées, mais nous ne pouvons affronter ceux qui constituent le cœur économique de notre cité et risquer de les voir s'enfuir.

En quittant l'hôtel de ville, Rienzi reconnut en son for intérieur que Portinari n'avait pas tout à fait tort lorsqu'il expliquait qu'il était impossible de dissocier complètement la politique de l'économie. Il songea que ces malversations financières empêchaient peut-être des troubles et, pourquoi pas, une révolte qui pourrait avoir des conséquences encore plus dommageables pour les

---

1. Large bras de mer menant jusqu'à Bruges et garantissant le commerce international.

affaires de la banque. Mais il n'ignorait pas que de tels arguments ne rencontreraient aucun écho auprès de son père. Ce que ce dernier attendait, c'étaient des explications claires et, surtout, un coupable.

Pour se rendre chez Memling, il choisit de s'offrir une petite promenade le long des canaux. Au fil des jours, il avait fini par succomber au charme de cet enchevêtrement sans logique apparente de rues, de places et de voies d'eau qui n'étaient pas sans lui rappeler Venise la Sérénissime, qu'il connaissait bien. Le va-et-vient des barques qui déchargeaient leurs marchandises en provenance du monde entier semblait sans fin. Dans le quartier situé non loin de l'église Saint-Gilles, l'agitation était à son comble à cette heure de la journée. La foule rendait la circulation difficile. Le Florentin ressentit subitement un désagréable sentiment d'oppression et regretta même que Leonardo ne l'ait pas accompagné pour cette promenade. Il tenta de se raisonner, mais le flot des pensées continuait à se déverser dans son esprit embrouillé.

C'est en empruntant une ruelle pour rejoindre la Sint-Jorisstraat et l'atelier du peintre que ses soupçons se muèrent en conviction. Il opéra une brusque volte-face et se précipita sur un moine qui le suivait à quelques pas. Ce dernier se hâta de relever sa robe de bure et en tira une longue dague. Malgré la promptitude de sa réaction, le religieux n'eut pas le temps d'esquiver le coup de poing que Rienzi lui assena en pleine figure. Une vieille dentellière qui passait par là en portant un plein panier d'ouvrages poussa un cri strident et s'enfuit aussi vite que ses jambes pouvaient la porter vers le Torenbrug, le pont qui enjambait le canal à quelques mètres de là.

— *Per tutti i diavoli!* Cette fois, tu as commis une maladresse de trop! s'exclama l'Italien en ôtant la capuche du moine qui dissimulait le visage tuméfié d'Alessandro.

L'âme damnée de Portinari, complètement sonnée par le coup qu'elle venait de recevoir, ne chercha pas à se dégager quand son adversaire la saisit avec force à la gorge.

— Maintenant, tu vas parler. Tu comptais me poignarder en pleine rue pour racheter l'assassinat involontaire de mon domestique auprès de ton maître?

Rienzi saisit la dague et éructa.

— Eh bien, à présent, c'est moi qui ai envie de te faire rendre gorge, dussé-je répondre de mes actes devant la justice de cette ville…

— Pitié, *signore*, je ne suis qu'un tout petit instrument dans cette machination. Croyez-moi, je vous serai beaucoup plus utile si vous me laissez la vie sauve. Je connais certains secrets qui pourraient vous être utiles si vous voulez sauvegarder vos intérêts et surtout votre vie.

Rienzi desserra quelque peu son étreinte, mais il crispa encore davantage la main sur sa dague.

— Tu me sembles bien mal placé pour me promettre de me garantir la vie sauve. Mais soit, parle. Je verrai si tes renseignements valent la peine de préserver ta misérable peau de félon et de lâche.

— Las, je ne peux pas te parler maintenant. Cet après-midi auront lieu les funérailles de Margarita Demeester; les plus grands bourgeois de la ville seront présents. Je dois accompagner Portinari mais je n'assisterai pas à la cérémonie. Retrouvez-moi derrière l'église et venez seul. Nous profiterons de ce moment pour parler de choses qui vont vous intéresser. Croyez-moi, vous ne le regretterez pas…

Sans bien savoir pourquoi, Lorenzo Rienzi décida de faire confiance à l'homme qui venait pourtant de tenter de l'assassiner.

22

Le plus difficile n'avait pas été de faire taire la douleur, mais de convaincre Leonardo de le laisser quitter le palais Bladelin pour se rendre à l'atelier de Memling. Pieter ne se reconnaissait plus ; lui qui avait toujours eu tendance à paresser et qui, sans se l'avouer, redoutait la douleur n'aurait voulu pour rien au monde manquer sa journée de travail. Bien sûr, il y avait la toile dont la réalisation requérait toute son assiduité, mais il songeait surtout à la mission qui lui avait été confiée et qu'il voulait mener à bien. Il se reprochait d'avoir laissé partir seul Rienzi le matin, et il s'en voulait encore davantage d'avoir interverti les rôles ; le gardien s'était mué en protégé et vice versa. Quel piètre enquêteur il faisait…

Malgré sa douleur, il ne put s'empêcher de sourire lorsqu'il surprit Baert occupé à se faire réprimander par Magda parce qu'il avait goûté quelques biscuits tout juste sortis du four. Face à l'énergique gouvernante, le géant n'en menait pas plus large qu'un petit enfant pris la main dans le sac… Magda s'aperçut de la présence du jeune homme et haussa encore la voix, comme si elle cherchait à le dissuader de se risquer à pareille tentative.

Jamais encore Pieter n'avait vu une telle agitation dans l'atelier. Ses collègues étaient tellement affairés qu'ils ne prirent pas le temps de lui faire sentir, comme à leur habitude, à quel point il n'était pas le bienvenu. De mémoire d'assistant, personne n'avait jamais vu un portrait réalisé en un temps aussi limité, et tous étaient d'autant plus inquiets qu'il était bien difficile dans ces conditions de garantir la réputation d'excellence attachée au maître. Ce dernier avait décidé de reprendre les choses en main et était occupé à faire la leçon à son premier apprenti qui n'avait pas, selon lui, traduit toute la subtilité des traits du modèle à travers son dessin. Pour Hans Memling, un portrait devait avant tout souligner le visage – la fenêtre de l'âme –, qu'il dessinait, modelait et lissait à la manière d'un sculpteur. Van den Bosch n'avait pas suffisamment saisi cet aspect essentiel du style de son maître et avait mis en évidence les lignes de tension qui parcouraient le visage de Rienzi, une nervosité que Memling s'attachait à présent à gommer sans pour autant affadir le portrait.

Pour se défendre, l'apprenti essayait de mettre en cause les couleurs choisies par Pieter qui induisaient, selon lui, cette sensation de trop grande nervosité. Pieter, qui préparait ses pinceaux dans le fond de l'atelier, faisait mine de ne pas entendre, mais il ne manquait pas une bribe de ce qui se disait à son propos. Aurait-il voulu se défendre qu'il en eût été bien incapable ; il faisait de son mieux pour rester impassible alors qu'une douleur forte et lancinante le tenaillait dans le dos. À plusieurs reprises, il crut perdre connaissance, mais il rassembla tout son courage pour ne pas s'effondrer.

Suivi par Magda qui apportait une cruche de bière afin de donner un peu de cœur à l'ouvrage à tout l'atelier, Rienzi apparut sur le pas de la porte. Pieter sentit tout de suite qu'il était nerveux, mais il nota surtout l'expression de surprise du Florentin quand il l'aperçut déjà au travail. Le Brugeois apprécia cette

complicité nouvelle qui s'était installée entre lui et son
« protégé ». À mesure que les jours passaient, il respectait de plus en plus cet homme d'honneur qui fuyait les
compromis hasardeux pour faire entendre la voix de la
probité, sans recourir aux sempiternelles concessions
des bourgeois trop préoccupés par la défense de leurs
intérêts. Il devinait les longues discussions qu'il pourrait avoir avec Maximiliaan sur le manque de panache
de ses concitoyens, qui se préoccupaient davantage de
la bonne marche de leur commerce que de questions
d'honneur. Son oncle ne manquerait pas de répondre
que, depuis qu'un duc flamboyant présidait à ses des-
tinées, la bonne ville de Bruges n'avait jamais été
aussi malheureuse. Là résidait peut-être la preuve que
l'honneur et le bien-être n'étaient pas forcément liés…

23

Chaque fois qu'il se rendait à l'église Saint-Jacques, Tommaso Portinari se sentait un peu chez lui. Avec le grand duc d'Occident en personne, il avait été un des bailleurs de fonds les plus généreux qui avaient permis d'agrandir l'édifice en adjoignant deux nefs latérales à l'unique nef existant à l'origine. Le nouveau chœur avait été achevé cinq ans auparavant, et Portinari n'avait pas hésité à se réserver l'ancien pour y consacrer sa propre chapelle. Ses ennemis avaient alors trouvé une bonne occasion de ricaner, affirmant que son accès subit de générosité tenait plus de l'acte politique que de la charité chrétienne. L'Italien n'en avait cure. Il gardait en mémoire le souvenir de l'harmonieuse chapelle familiale de l'hôpital Santa Maria Nuova à Florence et comptait bien laisser une trace de sa reconnaissance dans cette ville qui, à défaut de l'avoir séduit, lui avait au moins assuré une confortable richesse.

Un à un, tous les membres honorables de la bonne bourgeoisie brugeoise pénétrèrent dans l'église, le visage grave et l'allure digne. Devant l'autel avait été placé le cercueil de Margarita. La jeune fille était prête à accomplir son dernier voyage. Le prêtre qui officiait éprouvait beaucoup de difficultés à contenir son émotion ; il se tenait debout, raide comme une lance, à côté de la dépouille de la jeune fille, en attendant que tout le monde soit en place pour commencer son office. Dans l'assistance, nul n'ignorait qu'il avait été le confesseur et le confident intime de Margarita et qu'à ce titre sa disparition devait constituer pour lui une épreuve particulièrement pénible. Il avait tenu à accomplir lui-même la cérémonie, qui avait été retardée en raison d'un déplacement qu'il effectuait à Bruxelles.

Au premier rang avait pris place la famille Demeester, ou plutôt ce qu'il en restait : le puissant Jan Demeester, un des plus gros marchands d'étoffes de la ville, qu'un veuvage déjà ancien avait poussé à se consacrer uniquement à la bonne marche de ses affaires ; à ses côtés, l'ombre fluette de sa sœur, une vieille fille qui n'avait jamais quitté son frère et jouait le rôle de maîtresse de maison depuis la disparition de sa belle-sœur. Deux rangs plus loin, Hans Memling, vêtu d'une ample tunique brune, chuchotait quelques mots à l'oreille de sa discrète épouse Tanne, tandis que Magda sortait son chapelet avant de replacer une mèche rebelle sous sa coiffe noire. Quand Maximiliaan apparut dans la nef en ôtant son bonnet, quelques murmures se firent entendre çà et là. Tout le monde savait qu'il était un des meilleurs amis de Jan Demeester, mais on n'avait pas l'habitude de le voir à l'église. Les mauvaises langues disaient qu'il aurait pourtant eu tout intérêt à se confesser plus souvent s'il voulait échapper au châtiment suprême. Au moins n'avait-il pas eu le culot de venir dans la maison de Dieu avec son démon roux, que les honnêtes citoyens de la ville préféraient ne pas croiser sur leur chemin.

Pieter Linden avait trouvé une place à l'abri des regards dans le fond de la nef et détaillait le manège des invités. Presque tous les acteurs étaient présents ; la grande comédie allait pouvoir commencer. Tandis que les enfants de chœur entonnaient le premier chant, Pieter sentit son sang bouillonner au point de réveiller les douleurs de sa blessure. Non, il ne pouvait pas laisser les choses en l'état; le mystère de la mort de Margarita devait être résolu, et la solution devait probablement se trouver là, dans les rangs de cette église.

Le jeune homme avait beau réfléchir et essayer de rassembler toutes les pièces de ce jeu machiavélique, il n'y arrivait pas. Pour quelle raison laissait-on Portinari tenter d'assassiner en toute quiétude son invité florentin? Quel mystère emportait la belle Margarita avec elle dans sa tombe, et qui pouvait bien le partager? Pourquoi avait-il été introduit dans ce jeu diabolique, et quel intérêt pouvaient bien avoir les plus grands bourgeois de la ville à l'encourager à résoudre les mystères sans lui donner les moyens de le faire? Et pour quelle obscure raison avait-il l'impression que Rienzi lui cachait ses véritables motivations?

Pieter était tellement absorbé par ses méditations qu'il en avait oublié de commencer à réciter le psaume *de profundis*. Il comprit à la moue désapprobatrice de sa voisine qu'il devait suivre le mouvement.

24

Comme convenu, Rienzi s'était rendu derrière la grande église de brique dans l'espoir de percer enfin le trouble jeu de Portinari. Il se méfiait comme de la peste de son âme damnée Alessandro, mais il avait choisi de se rendre seul au rendez-vous afin de lui laisser toutes les chances de parler. Toujours aussi habile et discret, l'homme surgit du chevet de l'église avec la grâce d'un félin et sortit sans attendre sa patte de velours pour manifester ses bonnes intentions.

— Vous voyez, *signore*, je suis fidèle à notre rendez-vous et venu sans armes. J'espère que vous aurez la bienveillance d'avoir confiance en moi.

— Je connais trop bien l'art subtil du double ou du triple jeu dans lequel les Florentins sont passés maîtres pour te faire entièrement confiance, mais je suis venu pour entendre ta version des faits. (Gardant la main sur sa dague, il poursuivit :) Je n'ignore pas non plus les malversations dont ton maître s'est rendu coupable ; les sommes que nous versons au duc de Bourgogne sont immenses, et je suis convaincu que toutes n'arrivent pas à bon port. Je sais que Portinari en détourne une partie, mais il me reste à découvrir s'il bénéficie de complicités.

— Mon maître est très discret dans la gestion de ses affaires, et je vous assure que je serais bien incapable de tout vous dévoiler… Mais je sais également qu'il faut se méfier des apparences. Les grands bourgeois de la ville contre lesquels il ne manque jamais de s'enrager ne sont peut-être pas ses plus grands ennemis. Il arrive quelquefois, dans les affaires, qu'une forte conjonction d'intérêts vienne à bout de divergences politiques apparemment inconciliables.

— Peste soit de tes sombres énigmes, parle clairement… Les grands bourgeois seraient de mèche avec Portinari? Si c'est le cas, ils ne sont pas les derniers à vouloir me faire disparaître pour ne pas compromettre leurs petites affaires.

— Je constate que votre réputation d'intelligence n'est pas usurpée, mais je ne peux pas vous en dire beaucoup plus. La partie est serrée et son enjeu est fatal. Pour le moment, je reste dans le camp de mon maître. Si vous prenez l'avantage, j'ose espérer que vous saurez ne pas oublier mon geste désintéressé. Mais d'ici là, prenez garde à vous; les rues de Bruges sont parfois dangereuses une fois la nuit tombée.

Dégoûté, Rienzi abandonna son informateur à ses fourberies et fit une entrée tardive dans l'église. Il fut immédiatement remarqué par Pieter. Le Florentin resta au fond de la nef et fit discrètement passer un brevet[1] jusqu'au premier rang. Pieter, qui ne perdait pas une miette de ce qui se passait, remarqua que le billet passa successivement chez Maximiliaan Dorst, Hans Memling et Jan Demeester. Les trois hommes prirent soin de ne pas se regarder, mais une grimace

---

1. Court billet ne comportant que quelques mots.

se dessina furtivement sur leur visage. L'apprenti était trop loin pour se faire une idée précise de l'expression de leurs visages, mais il aurait juré que, plus que de l'étonnement, c'était bien de la peur qu'il avait lue dans leurs yeux.

25

Pieter avait la ferme résolution de prendre l'initiative. Certes, il était loin d'avoir saisi tous les enjeux de l'intrigue, mais il pressentait l'imminence d'un nouveau drame s'il n'agissait pas. Il ne lui restait qu'à espérer que son intuition ne lui avait pas fait faux bond et que son attente ne serait pas trop longue.

Après les obsèques, il se rendit rapidement à la *Chope d'Argent.* Il savait bien que son oncle n'avait pas encore eu le temps de revenir, et il avait besoin des lumières d'Emma pour dissiper un voile de brouillard dans son raisonnement. À la taverne, il fut étonné de ne pas trouver tout de suite la jeune fille mais le *lange* Gerard, qui donnait de temps à autre un coup de main en salle quand plusieurs équipages débarquaient en même temps. Le jeune garçon sembla terriblement gêné en voyant Pieter et assura qu'il ne savait pas où se trouvait Emma. L'apprenti ne crut pas un instant cette histoire taillée sur mesure pour un naïf et passa à la cuisine où il surprit la rousse en train de se faire trousser le jupon par un séduisant marin vénitien. Emma ne prit même pas la peine d'interrompre les assauts de l'Italien quand elle s'adressa à Pieter.

— Alors, mon gamin, tu vois ce que tu manques à toujours vouloir jouer les bons neveux. *Hemel!* C'est comme ça, j'ai toujours eu un faible pour les Italiens, et à ce niveau-là, Maximiliaan ne peut pas me satisfaire. Et puis, comme je n'étais pas assez respectable pour que *mijnheer* Max me propose de l'accompagner aux funérailles de la fille Demeester, il fallait bien que je me change les idées !

Pieter fit de son mieux pour garder un air dégagé et, tout en jetant un œil furtif sur les cuisses généreuses de la rousse, décida de s'en tenir au strict but de sa visite.

— Je ne suis pas là pour te donner des leçons de morale, mais pour te poser une question : Maximiliaan fait-il partie des riches bourgeois qui ont été taxés pour financer les campagnes du duc ?

Emma parut étonnée par cette demande.

— Quelle question ! Bien sûr, il est même assez fier d'avoir été reconnu parmi les bourgeois les plus influents de la ville malgré tous les ragots qui courent sur son compte. Mais si tu veux mon avis, il doit y avoir des moyens plus agréables d'affirmer sa position sociale que de payer des impôts supplémentaires.

À ces mots, Pieter esquissa un petit sourire de satisfaction, s'excusa auprès du marin qui n'avait pas interrompu son ouvrage, embrassa Emma, tout étonnée par cette marque d'intimité inédite, et prit congé.

Pieter revivait sans cesse la scène à laquelle il venait d'assister tandis qu'il commençait à sentir des fourmis dans les jambes. Il s'était niché dans une étroite remise située à l'étage de l'entrepôt désaffecté où son oncle lui avait donné rendez-vous quelques jours auparavant. À son âge, son père avait déjà pris une épouse, alors que lui ne semblait pas tellement pressé. Il avait bien connu quelques moments coquins avec Marijke, la fille du laitier, mais c'est Dame Huyssens, une jeune veuve de commandant de vaisseau qui résidait à côté de chez ses parents, qui l'avait initié aux secrets de l'amour. Plus que du plaisir, il se souvenait surtout de la gêne qu'il avait éprouvée quand il lui avait fallu quitter la chambre après la trop courte leçon qu'il avait reçue. Depuis, il n'avait plus jamais osé croiser le regard de cette femme qui, ayant compris son désarroi, avait eu la délicatesse de ne pas insister.

Après avoir vu Emma à l'œuvre, Pieter se dit que le moment était peut-être venu de refaire une tentative… Après tout, il s'était bien lancé ces derniers jours dans une carrière de peintre et d'enquêteur ; il ne lui restait plus pour devenir un homme qu'à parfaire ses qualités d'amant !

Toujours tapi dans son réduit, il commençait à se dire qu'il faisait fausse route, lorsque sa patience fut récompensée.

Le premier à arriver à l'entrepôt fut Maximiliaan. À l'aide de sa torche, il s'assura que le lieu était bien désert et émit un sifflement sec et strident vers l'extérieur. Immédiatement, deux silhouettes approchèrent. L'obscurité empêcha pendant quelques secondes Pieter de les identifier, mais il reconnut bien vite Hans Memling et Jan Demeester. Que pouvait bien venir faire dans ce lieu sinistre le marchand de draps, le jour même des funérailles de sa fille ? Pieter n'eut pas le temps d'y réfléchir ; à ce moment précis, ce fut au tour de Rienzi de rejoindre le groupe. Le Florentin prit tout de suite la parole.

— *Signori*, je vous remercie d'avoir répondu à mon invitation, et particulièrement vous, *signore* Demeester ; je sais que le jour est particulièrement mal choisi et que certaines rencontres vous sont plus pénibles que d'autres.

Maximiliaan planta sa torche sur le sol et prit un ton sévère et grave que Pieter ne lui connaissait pas.

— Venez-en au fait, Rienzi, notre temps est aussi précieux que le vôtre, et je crois en effet que le jour est particulièrement mal choisi pour nous réunir.

Le Florentin acquiesça et poursuivit.

— Contrairement à ce que certains peuvent penser dans cette assemblée, c'est une affaire d'argent qui m'a amené dans votre ville. Je sais que vous faites partie de ces bourgeois qui ont été contraints de prouver une fois encore leur attachement à la cour de Bourgogne en aidant financièrement l'effort de guerre du Téméraire. Je sais aussi que le grand duc d'Occident n'est guère populaire parmi vous et que vous lui reprochez surtout de porter atteinte au commerce de votre ville, qui doit déjà faire face à la concurrence de l'Angleterre et de la Hanse.

Pendant que Rienzi parlait, Pieter analysait l'expression de tous les visages et tentait de les interpréter : la fatigue pour Demeester, l'impassibilité pour Memling et un certain agacement chez son oncle.

— Vous le savez, je ne fais pas de politique, et je suis ici pour représenter une banque qui a choisi d'aider le duc Charles. J'ai accompli ce long voyage pour contrôler les comptes de Tommaso Portinari, qui nous donnent les plus grandes inquiétudes, et je suis presque arrivé au terme de mes investigations. Pour achever de le confondre, j'ai besoin de votre aide. N'ayez crainte, je n'entrerai pas dans le détail de vos affaires car, je vous l'ai dit, je ne fais pas de politique.

Maximiliaan perdit soudain contenance et frappa un grand coup de poing contre une cloison de bois, manquant de peu la faire céder.

— Taisez-vous ! Vous arrivez ici en conquérant et vous croyez pouvoir nous dicter notre conduite !

Jusqu'ici, nous avons tout fait pour vous être agréable. Mais depuis votre arrivée, les drames se succèdent dans la ville, et votre attitude demeure inchangée. Pour qui vous prenez-vous ? À notre connaissance, le seul représentant des Médicis habilité à traiter avec la cour dans cette ville est Portinari.

— Calme-toi, Maximiliaan, tempéra Memling. Je m'exprimerai avec moins de passion, mais je pense que mon ami a raison, et je ne saurais trop vous conseiller de retourner à Florence dès que notre travail sera terminé. Je pense achever le tableau d'ici deux à trois jours. Laissons les fantômes dormir en paix et n'attisons pas les rancunes des vivants.

— Ainsi, vous refusez donc de m'aider, bande d'inconscients ! hurla Rienzi. Grand bien vous fasse, mais le scandale sera énorme, et il ne manquera pas de vous éclabousser, vous aussi ! Quant aux fantômes, *signore* Memling, ils laissent quelquefois derrière eux des anges qui n'ont pas envie de les rejoindre immédiatement au ciel.

Après avoir proféré ces menaces, Rienzi remit sa cape noire et quitta l'entrepôt. Il fut bientôt suivi par Memling et Demeester, Maximiliaan demandant à rester quelques minutes pour retrouver ses esprits.

Quand il se retrouva seul, il appela :

— Pieter, c'est bon, tu peux descendre. Rien ne sert de retenir ton souffle, je sais que tu es là.

D'un bond, le jeune homme quitta sa cachette et vint se planter devant son oncle, un brin dépité d'avoir été découvert.

— Désolé de te décevoir, mon enfant, mais je connais parfaitement le lieu; à cette heure de la soirée, on peut apercevoir la lumière de la lune entre deux planches disjointes du toit. Mais, comme tu t'étais caché devant, la pénombre était encore plus profonde que d'habitude. De plus, Gerard m'a averti que tu étais passé à la taverne pour questionner Emma; je n'ai donc pas eu beaucoup de peine à supposer que tu nous avais suivis, ou plutôt précédés, ici.

Loin d'être fâché, Maximiliaan avait l'air satisfait de démontrer sa supériorité sur le jeune homme dont il se sentait responsable, mais ce dernier ne l'entendait pas de cette oreille…

— Mon oncle, je te suis fort reconnaissant pour tout ce que tu as fait pour moi, mais ce que j'ai entendu ici mérite des explications. Tu m'as confié une mission importante mais en prenant le plus grand soin de m'empêcher de la mener à bien. À présent que j'ai découvert seul certaines choses, tu ne peux plus rien me cacher. N'aie crainte, tu sais bien que je serai toujours à tes côtés.

L'aubergiste fit tourner nerveusement le cordon de sa bourse autour du doigt, prit une profonde inspiration et répondit d'un ton excédé :

— C'en est assez, tu n'as aucun droit dans cette histoire, et moi, aucun devoir envers toi. Tu devrais déjà être assez heureux d'avoir été engagé chez Hans Memling, et la moindre des gratitudes serait de passer davantage de temps à l'atelier qu'à courir les rues de la ville après des chimères. Je t'avais donné une mission de surveillance, et voilà que tu te prends pour un enquêteur… Sois heureux, je te décharge de toute mission. Contente-toi d'essayer de progresser dans ton art et laisse aux adultes le soin de gérer leurs affaires. Je t'interdis de mettre encore ton nez dans tout ceci, tu as bien compris ? Si tu passes outre, tu pourras définitivement oublier ta carrière de peintre et choisir un commerce quelconque. De cette manière, au moins, je respecterai la volonté de tes parents.

Jamais encore Maximiliaan n'avait parlé aussi durement à son neveu, qui l'avait toujours considéré comme son allié le plus fidèle. Dans tous les moments difficiles de l'existence, il avait été là pour lui remonter le moral et l'assister. Mieux, il lui avait fait confiance quand les autres doutaient de lui. Aujourd'hui, cette belle harmonie née de l'enfance s'effondrait. Pourtant Pieter se sentait étrangement soulagé ; il allait pouvoir poursuivre son enquête, en adulte, sans devoir rendre des comptes.

Car au plus profond de lui-même, il savait que seule la découverte de la vérité pourrait apaiser sa conscience.

La terre encore fraîchement retournée semblait respirer, chaude et accueillante, pour abriter un som-

meil éternel. La nuit était belle, et les étoiles avaient choisi de briller de tous leurs feux pour saluer la jeune vierge qui avait rejoint le ciel et quitté les turpitudes des hommes.

L'ombre glissa à travers les croix de pierre et les lourdes plaques qui scellaient les tombes comme autant de portes verrouillées sur le monde effrayant de la mort. Elle s'arrêta devant la croix en bois, sortit de sa poche un petit crucifix et le tendit vers l'avant.

— Seigneur, protège cette enfant ; ils sont venus la narguer le jour de ses funérailles, mais nous avons été les plus forts. Rien ni personne ne pourra jamais surpasser ta puissance.

L'ombre tomba à genoux, elle posa le crucifix devant la croix et commença à pétrir fébrilement la terre de ses deux mains. Le halo lumineux que répandait la lune sur la nuit de Bruges donnait à cette scène un caractère fantasmagorique.

— Mais ils n'ont pas fini de nous poursuivre ; le démon n'a de cesse de nous harceler... J'ai foi en toi pour nous sauver et, pour te le prouver, j'ai placé notre plus précieux trésor dans un lieu sûr, à l'écart de toutes les tentations et de tous nos ennemis. S'il devait m'arriver malheur, je te le confie ; je sais que tu le tiendras en ta sainte garde.

Commença alors une longue prière à laquelle semblait s'unir les chauves-souris qui virevoltaient autour du clocher de l'église.

L'ombre reprit le crucifix, se releva lentement et porta une pleine poignée de terre humide à sa bouche en murmurant :

— Pour toi, j'aurai le courage d'aller jusqu'au bout de ma mission. Margarita, tu sais que tu as toujours pu compter sur moi.

Hans Memling aimait la tranquillité du petit matin, et, quand il n'avait pas travaillé trop tard la veille, il se levait tôt pour poursuivre sa tâche sans être gêné par les multiples soucis qui l'assaillaient durant la journée. Seul son apprenti Van den Bosch avait le privilège d'être logé, nourri et blanchi par ses soins; les autres rentraient tous les soirs chez eux. Le peintre avait donc décidé de se lever tôt pour continuer à travailler au portrait de Rienzi avant l'arrivée de ses assistants. Magda, qui connaissait bien son maître, se levait en même temps que lui pour lui apporter une pleine tasse de lait frais dont il raffolait.

Tandis qu'il examinait la toile, le peintre se sentit las. Il se souvenait de toutes ces années de labeur intense pour accéder à la position qui était sienne à présent. Il se souvenait de sa petite maison de Seligenstadt, où il avait connu une brève période de bonheur jusqu'à la mort de ses parents, emportés par la terrible peste de 1450. Il se souvenait des Bénédictins qui l'avaient recueilli, s'étaient chargés de son éducation et avaient encouragé ses penchants artistiques tout en lui inculquant le sens du devoir et l'importance du travail bien fait. Il se souvenait d'avoir pris ensuite la route de Cologne avant de gagner Bruxelles, où il avait révélé toute l'étendue de son talent au service du grand maître Rogier Van der Weyden.

Il se souvenait d'avoir choisi Bruges, la riche cité qui ne pouvait qu'accueillir à bras ouverts un artiste de son envergure. Confronté aux difficultés politiques du temps, à la situation économique préoccupante, à l'arrogance des banquiers italiens et à la méfiance de certaines autorités communales, il avait réussi à trouver sa place sans se faire trop d'ennemis. Il songea que, pour être reconnu en ces temps troublés, il s'agissait d'être bon peintre mais aussi fin diplomate et remercia le ciel d'avoir été amené, dès son plus jeune âge, à naviguer à travers toutes les intrigues sans jamais chavirer.

Remuant ces pensées, il contempla le visage volontaire de Rienzi qui se découpait sur le fond bleu-vert de la toile. Face à lui se trouvait l'homme qui pourrait mettre fin à ce parcours sans fautes. Memling, que ses détracteurs accusaient de réaliser des portraits trop doux et dépourvus d'expression, constata que le visage du Florentin était plus angulaire que ses autres œuvres. Il estima d'abord qu'il fallait y voir la trace du dessin préparatoire de son élève, mais songea ensuite que cette exception stylistique était liée à la personnalité de son modèle.

Le peintre reprit son pinceau ; il était capital d'achever cette œuvre pour chasser à jamais ces sombres démons de son esprit. Il prendrait néanmoins le temps d'adoucir les traits de la mâchoire du Florentin. Après tout, la peinture portait peut-être en elle le pouvoir d'influencer la personnalité de son modèle…

Memling avait travaillé une heure ou deux quand Baert vint lui annoncer l'arrivée des apprentis à l'atelier. Van den Bosch était déjà en train de préparer ses pinceaux quand Pieter Linden arriva bon dernier, toujours affaibli par la douleur mais faisant de son mieux pour n'en rien laisser paraître. Entre les deux apprentis de Memling, l'heure était à la pacification ; ils ne s'appréciaient pas plus qu'avant, mais au moins avaient-ils décidé de ne pas trop le faire sentir. Ils savaient tous les deux que leur maître désapprouvait cette lutte au sein même de son atelier et ne manquerait pas de sévir auprès de celui qui entraverait la bonne marche de ses affaires. Baert apporta la toile, et les jeunes artistes reprirent aussitôt le travail. Pieter était convaincu que son oncle n'avait pas prévenu Memling de leur conversation houleuse de la veille et résolut donc de faire comme si de rien n'était.

Van den Bosch travaillait minutieusement aux détails du blason qui ornait le vitrail faisant office d'arrière-plan dans la composition. Devant cette fenêtre se tenait Lorenzo Rienzi dans toute sa superbe, les mains jointes, le regard résolu, son abondante chevelure noire reposant sur les épaules. Autour du cou, le Florentin portait un pendentif de pierres précieuses ainsi que deux bagues d'or à la main gauche. Dans le fond du tableau, il avait fait représenter son épée fétiche sertie de pierres de grande valeur.

Des cris se firent entendre dans le couloir, de plus en plus proches, et tout ce petit monde besogneux eut la surprise de voir Leonardo débouler dans l'atelier. Il était suivi par une Magda essoufflée qui lui assurait que Memling était provisoirement sorti et ne reviendrait pas avant l'après-midi.

— Eh bien tant pis, je l'attendrai ici puisque personne dans cette ville n'est capable de me renseigner.

Il pointa son regard sur Pieter avant de se diriger vers lui.

— Toi qui en sais toujours plus long que les autres, tu pourras peut-être me renseigner et me dire où est mon maître. Je ne l'ai pas revu depuis hier, et il m'avait pourtant assuré que nous nous rendrions de nouveau à l'hôtel de ville ce matin.

L'apprenti proposa à Leonardo de poursuivre cette conversation dans la cour, et les deux hommes quittèrent l'atelier sous les regards curieux de l'assistance.

Dans la cour, Leonardo reprit son calme.

— Je ne comprends pas. Hier soir, Rienzi m'a dit que je devais le laisser se promener seul. Il avait une journée difficile en perspective et préférait ne pas être importuné pour prendre le temps de réfléchir. Depuis, plus de nouvelles. Et toi qui le surveilles, l'as-tu vu ?

Constatant que le désarroi de l'Italien n'était pas feint, Pieter décida de ne pas louvoyer et de lui dire tout ce qu'il savait. Il s'assit et parla du billet à l'église, du rendez-vous nocturne dans l'entrepôt et de l'altercation qui avait suivi. Il alla même jusqu'à parler de sa dispute avec son oncle et constata que cela lui faisait le plus grand bien d'échanger avec un étranger des sentiments qu'il tentait pourtant de refouler au plus profond de lui-même.

— Je suis inquiet, conclut Leonardo. Nous avons toujours formé une excellente équipe parce que notre amitié repose sur une estime et une confiance réciproques. Par respect pour lui, j'avais accepté de le laisser régler ses affaires seul à l'église, mais il ne m'avait pas parlé du rendez-vous à l'entrepôt. J'ai bien peur que Portinari et son fieffé menteur d'Alessandro n'aient à nouveau frappé. Quand je pense à ce pauvre Bartolomeo ; il est le premier à avoir payé pour une histoire à laquelle il n'entendait pourtant goutte.

Pieter se releva.

— Je vais vous aider. Pendant que vous irez interroger le sieur Portinari, je vais mettre à profit ma bonne connaissance de la ville et de ses petits mystères pour

en savoir plus. Ayez confiance, il n'est pas trop tard
pour agir.

L'apprenti fut étonné de voir la mine résignée de ce
Florentin qui l'avait tellement frappé par sa prestance
lors de son arrivée en ville. Il comprit à cet instant précis que c'était à lui seul qu'incombait la mission de
retrouver son ami.

28

Cela faisait bien longtemps que Tommaso Portinari ne s'était plus senti d'aussi bonne humeur, à tel point qu'il en avait presque oublié de boire son bouillon à son réveil. Et pour une fois, le motif de cet enthousiasme n'avait rien à voir avec de plantureux bénéfices récemment engrangés ou de nouveaux clients en vue. Non, cette fois, l'ambitieux Florentin se contentait d'être une victime consentante de l'amour, puis qu'aujourd'hui revenaient à Bruges son épouse, la belle Maria Baroncelli, et sa ravissante petite fille Margherita qui venaient d'effectuer un long voyage en Italie.

La jeune femme n'avait que 21 ans, mais tous ceux qui avaient eu l'occasion de la rencontrer reconnaissaient en elle une des beautés les plus parfaites qu'il leur ait été donné de voir. Rien à voir, selon Portinari, avec ces robustes Flamandes disgracieuses qui se dépensaient sans compter pour paraître ce qu'elles ne pourraient jamais être. Depuis leur mariage, les époux ne s'étaient jamais séparés aussi longtemps, et le mari solitaire s'était consolé en admirant plus d'une fois le tryptique de dévotion qu'il avait commandé à Memling pour immortaliser leur bonheur.

Combien de fois son regard s'était-il arrêté sur ces longs cheveux relevés sous le hennin au long voile transparent, sur ce cou gracile élégamment orné du large collier nuptial d'or tressé incrusté de perles et de rosettes de couleurs, et surtout sur cette expression mutine et ce petit sourire auquel il n'avait jamais rien pu refuser ? Le renard florentin avait donc succombé à une douce faiblesse prénommée Maria, dont il attendait le retour avec impatience. Pour agrémenter la dernière partie de son voyage, il avait envoyé Alessandro à sa rencontre, en le priant bien de ne pas dévoiler la surprise qu'il lui avait préparée, un superbe pendentif de pierres précieuses qu'il avait spécialement fait réaliser dans un atelier renommé d'Anvers.

Tout à son bonheur de retrouver son aimée, il avait résolu de s'offrir une journée de repos et se promenait dans le petit jardin du palais.

Quand il vit la lourde porte extérieure s'ouvrir, il sentit son cœur s'emballer, mais son espérance fut rapidement déçue en voyant que ce n'était pas sa tendre Maria qui arrivait mais l'agaçant Leonardo. Sa courtoisie naturelle le poussa néanmoins à s'assurer du bien-être de son hôte.

— *Signore* Leonardo, quel plaisir de vous voir. Si vous me faites le plaisir de rester chez moi aujourd'hui, j'aurai le grand bonheur de vous présenter mon épouse. À vous, et aussi bien sûr au *signore* Rienzi. Mais au fait, où est-il ? Il a dû partir tôt ce matin, je ne l'ai pas encore vu…

Leonardo se refréna pour ne pas sortir sa dague, mais il laissa éclater sa rage et empoigna le banquier par le col.

— Bas les masques, Portinari ! Tu devrais mieux savoir que moi où se trouve mon maître. Après tout, tu as tout fait pour le faire disparaître depuis notre arrivée, non ?

Leonardo avait poussé Portinari contre le mur de brique et tellement resserré son étreinte qu'il était sur le point de l'étouffer.

Portinari tenta de se dégager; il se mit à tousser bruyamment et supplia son adversaire de le relâcher afin de le laisser parler...

— Sachez, *signore*, que je ne vois absolument pas de quoi vous voulez parler... Je n'ai pas revu votre maître depuis hier et je vous jure que je ne sais absolument pas où il est passé. Je ne nierai pas que nous avons eu des différends, mais l'idée de le faire disparaître – pour reprendre votre expression – ne m'est jamais venue à l'esprit.

Peu satisfait de cette réponse, Leonardo sortit sa dague et la plaça sous le cou du banquier qui manqua défaillir.

— Je crois que tu n'as pas bien compris, espèce de chien, *è finita la commedia*, tu vas parler à présent !

— Euh oui, j'avoue qu'Alessandro a cherché à vous... euh, impressionner à diverses reprises, mais il est parti à la rencontre de ma femme, et s'il avait eu encore quelque intention malveillante à l'encontre du *signore* Rienzi, croyez bien qu'il me l'aurait dit.

Excédé, Leonardo rengaina sa dague et poussa violemment Portinari dans son petit parterre de fleurs. Il fit quelques pas vers le porche et se retourna.

— *Commediante*, tu mens comme tu respires. Crois-moi, tu le paieras très bientôt. Sache que s'il est arrivé quoi que ce soit à mon maître, tu me le rendras au centuple. Tu constateras bientôt qu'on ne s'attaque pas à un Rienzi comme on occit un simple domestique.

La porte se referma dans un formidable craquement sonore, et Portinari se releva lentement de son tapis de

fleurs en frottant sa belle tenue de velours grenat macu-
lée de terre. Il porta la main à sa gorge et constata que
quelques gouttes de sang avaient coulé. Il se promit de
se venger au plus vite de l'affront qui venait de lui être
fait et songea qu'Alessandro aurait fort à faire dans les
heures à venir.

29

Tandis qu'il commençait ses recherches, Pieter ne songeait plus un instant au travail pour lequel il avait été engagé chez Memling. Démêler l'écheveau de cette enquête et retrouver l'homme sur lequel on lui avait demandé de veiller lui paraissait beaucoup plus important que de peaufiner son portrait. Par ailleurs, il estimait qu'il n'avait aucun compte à rendre à Memling qui était également passé maître dans l'art de la dissimulation.

Lorsque Pieter repassa chez lui pour remplir sa bourse de quelques deniers qui sauraient bien délier les langues si besoin était, sa logeuse était déjà informée de la disparition de Rienzi, même si – hélas ! – *mevrouw* De Coster ne put apporter aucun élément nouveau au jeune homme. Elle l'interrogea, comme à son habitude, et réaffirma la profondeur de son mépris pour ces milieux artistiques où le vice rôdait comme la peste dans les années les plus noires.

À cette heure du jour, Pieter savait qu'il pourrait trouver Emma sur le *Markt*, où elle aimait flâner au fil des échoppes. Il ne s'était pas trompé et la surprit en pleine négociation d'une écharpe en dentelle avec un marchand à l'air inflexible. Ce dernier refusa obstinément de baisser son prix, même lorsqu'Emma lui proposa de l'inviter à la taverne pour passer un bon moment dans la soirée. Agacée par une telle intransigeance, la rousse haussa le ton, puis, de guerre lasse, accepta de prendre l'objet au prix demandé à condition que le marchand l'emballe précieusement afin de ne pas l'abîmer pendant le transport. L'homme fouilla consciencieusement sous son échoppe et finit par trouver une petite étole dans laquelle il enveloppa la précieuse écharpe. Emma paya, prit son bien et poursuivit son chemin comme si de rien n'était. Quelques mètres plus loin, elle tomba sur Pieter, qui avait assisté à toute la scène.

— Emma, il faut que je te parle.

— Plus tard, suis-moi…

La jeune fille se mit à courir comme si elle avait tous les corps de garde de la ville aux trousses et se réfugia dans une des petites rues qui jouxtaient la Hoogstraat. L'apprenti tentait de ne pas se laisser distancer en pistant cette chevelure rousse qui flottait au vent, sans comprendre ce qui se passait. Mais avec la fantasque Emma, il y avait bien longtemps qu'il avait résolu de ne plus se poser de questions.

Essoufflés mais ravis, les deux amis s'assirent en riant à l'ombre d'un chêne. Emma sortit de sa poche l'écharpe de dentelle contenue dans l'étole et un autre voile de belle facture dont elle jaugea la qualité d'exécution à travers les rayons du soleil.

— Mais d'où vient ce voile? s'interrogea Pieter. Tu n'avais acheté que l'écharpe, non?

— Ça, c'est ce que tu crois… Tu ne penses quand même pas que j'allais me laisser gruger par ce voleur de marchand. J'ai essayé de lui faire entendre raison pour qu'il baisse son prix, et il a refusé. J'ai donc été obligée de m'offrir ce petit cadeau pour ne pas me faire avoir.

Le jeune homme savait que quelques clients trop éméchés de la taverne avaient déjà fait les frais de l'habilité de la serveuse, mais c'est la première fois qu'il la voyait à l'œuvre. Et si ce qu'on racontait était vrai ? Les rousses étaient peut-être des filles du Diable ! Cette mésaventure ne lui fit pas oublier pour autant la raison pour laquelle il voulait la rencontrer.

— Emma, tu sais que je me suis querellé avec Maximiliaan…

— Oui, le pauvre en est tellement marri qu'il a fermé la taverne plus tôt hier soir alors qu'elle était encore à moitié remplie. Je t'en conjure, fais quelque chose. Si vous ne vous réconciliez pas, les affaires vont péricliter !

— J'ai de fortes raisons de penser qu'il me ment à propos de l'Italien qui est venu à Bruges se faire portraiturer par Memling… Il a rencontré Maximiliaan et ses amis hier soir, et, depuis, plus personne ne l'a revu. Tu comprendras aisément pourquoi je m'interroge et je m'inquiète. Je sais qu'à toi il parle en toute confiance, alors, tu dois m'aider. Il en va peut-être de la vie d'un homme.

Lasse, la rousse passa sa main dans ses longs cheveux et poussa un profond soupir.

— Quand finiras-tu de jouer à l'enquêteur ? Si ton oncle t'a demandé de ne plus t'occuper de cette affaire, c'est qu'il a de bonnes raisons de le faire. Je me suis toujours sentie libre par rapport à lui, mais pas au point de le trahir. Même pas pour toi, et même si tu me donnais ce que j'attends le plus au monde. Mais peut-être faut-il que j'attende d'avoir un homme en face de moi… À moins que je ne jette mon dévolu sur ton énigmatique Florentin… Il est plutôt bel homme à ce que l'on raconte !

Et Emma partit d'un grand éclat de rire qui fusa jusqu'à la cime du chêne qui avait recueilli leurs confidences.

Vexé, Pieter ne prit pas la peine de la saluer et reprit sa route sans se retourner. Décidément, qu'il soit peintre ou enquêteur, personne ne le prenait au sérieux dans cette ville. Pire, il avait la désagréable impression que sa mission n'avait eu d'autre but que de garantir la bonne conscience de quelques bourgeois trop paisibles pour être totalement honnêtes. Alors qu'il se dirigeait vers le palais Bladelin, il tomba au beau milieu d'un groupe d'enfants qui jouaient à la guerre. Un garçon blond plus grand que tous les autres campait le personnage de Charles, le téméraire duc d'Occident qui faisait trembler les armées du monde entier, tandis qu'un petit grassouillet brun incarnait, avec toute la rouerie dont il était capable, Louis, onzième du nom, le cruel roi de France. Autour des deux héros de cette guerre sans pitié s'agitait toute une bande de gamins et de gamines armés de bâtons. Soudain, l'assaut fut donné, et Pieter se retrouva encerclé par cette drôle de troupe qui vociférait tellement qu'une marchande de beurre menaça d'appeler les gardes s'ils ne se taisaient pas. Amusé par la scène, Pieter ne s'était même pas aperçu qu'un enfant était venu à sa rencontre et lui avait glissé un billet dans le revers de sa veste.

Intrigué, l'apprenti déplia le billet sur lequel étaient griffonnés quelques mots.

La vérité doit être cherchée auprès de Dieu, à l'église du béguinage. Malheur à ceux qui la combattent.

30

Lové au sud de la ville dans un écrin de verdure, le béguinage princier de la Vigne échappait comme par miracle aux rumeurs et à l'agitation de la cité. Cette oasis de paix et de spiritualité avait été fondée au XIIIe siècle et avait même bénéficié de l'insigne honneur de se voir attribuer le statut de paroisse indépendante en 1245, selon le bon vouloir de la comtesse de Flandre, Marguerite de Constantinople. Deux siècles plus tard, le règne des ducs de Bourgogne avait garanti une prospérité sans pareille à la communauté en lui conférant nombre de privilèges qui lui valaient quelques inimitiés et jalousies. L'enclos aux vastes pelouses encerclées de petites maisons blanches constituait pour les béguines qui y vivaient un raccourci saisissant du ciel sur terre. Hélas, ce lieu d'harmonie et de paix commençait lui aussi à souffrir des luttes que se livraient les hommes ici-bas.

Pieter connaissait mal ce quartier de la ville, secret et excentré. Il éprouva donc quelque peine à se diriger dans le dédale de ruelles et à trouver la petite église du béguinage. L'édifice à trois nefs et doté d'un chœur profond très mal éclairé était en assez mauvais état, preuve que lorsque la misère s'abat sur la terre des hommes, la maison de Dieu n'échappe pas à la tourmente. Le lieu était désert, mais le jeune homme s'assura malgré tout que personne ne le voyait pousser la lourde porte de l'église. Un profond malaise s'empara de lui. Et s'il était tombé dans un piège ? Et si un nouveau coup de dague venait de nouveau le frapper dans le dos, alors qu'il n'y avait personne pour lui venir en aide ?

L'intérieur de l'église était particulièrement sombre, et sa stricte sobriété n'égayait pas l'impression d'ensemble qui s'en dégageait. Son regard croisa furtivement celui d'une Vierge en bois qu'il considéra comme une figure amie dans cet environnement mystérieux. À l'extrémité de la nef centrale, pendu en plein milieu du chœur, se détachait un imposant Christ en croix. Le fils de Dieu avait racheté les fautes des hommes en leur offrant sa vie. Au fur et à mesure qu'il s'approchait de l'autel, Pieter sentait les battements de son cœur s'accélérer à tel point qu'il mit quelques secondes à faire la part des choses entre les coups de tambour qui frappaient dans sa poitrine et le fin goutte à goutte qui tombait dans un calice doré posé sur l'autel. Il leva les yeux vers la croix et mit encore quelques secondes pour accoutumer sa vue au clair-obscur qui régnait dans cette partie de l'église. Lentement, ses yeux ne lui cachèrent plus la terrible vérité, et il ne put contenir un cri d'effroi qui déchira le silence de l'édifice. Crucifié dans la maison de Dieu, ce n'était pas Jésus qui se trouvait face à lui mais Lorenzo Rienzi, nu, la poitrine déchirée d'un grand coup de couteau. Goutte après goutte, son sang coulait sur l'autel et remplissait un calice posé à cet effet. La longue chevelure noire de l'Italien dissimulait son visage qui pendait vers l'avant. Ses bras et ses jambes avaient été attachés à la croix à l'aide d'une corde, et l'on avait poussé le souci du détail jusqu'à clouer ses mains et ses pieds sur la croix. Autour du cou avait été accrochée une pancarte avec une formule lapidaire :

Le démon a été vaincu

Subitement saisi d'une bouffée de chaleur, Pieter détourna la tête et se mit à vomir nerveusement. Il chercha des yeux la Vierge qui l'avait accueilli lors de son entrée dans l'église et alla se jeter à genoux pour prier devant elle.

Ce cauchemar dépassait tout ce qu'il avait pu imaginer.

31

Leonardo n'avait pas ôté son vêtement afin d'être prêt à tout moment à quitter le palais Bladelin et partir à la recherche de son maître, mais, à son grand désespoir, il ne savait pas d'où viendrait la délivrance. Il faisait les cent pas dans sa chambre et se remémorait les bons moments qu'il avait passés avec Lorenzo depuis son enfance ; les longues chevauchées dans leur chère Toscane au cours desquelles il leur arrivait souvent de se perdre, l'apprentissage des armes avec leur maître commun, sans oublier les premiers battements de cœur qu'ils avaient partagés pour la jeune lavandière qu'ils croisaient chaque matin à la rivière. Même s'il n'avait jamais osé lui poser la question, Leonardo était certain que son maître orgueilleux ne lui avait jamais pardonné d'avoir été le premier à l'embrasser. C'était dans ces moments-là qu'il vivait le plus mal la différence de position sociale entre eux, même si le serviteur fidèle qu'il restait dans toutes les circonstances prenait bien garde de ne pas outrepasser sa position. Il s'en voulut de ruminer toutes ces pensées comme s'il ne doutait plus que son meilleur ami était déjà mort. Malheureusement, aucune pensée positive n'arrivait à faire taire l'horrible pressentiment qui le rongeait de l'intérieur.

Un domestique de Portinari vint frapper à sa porte et lui annonça qu'un jeune homme l'attendait au-dehors.

L'affaire était de la plus extrême urgence. En traversant la cour, il croisa son hôte en tendre discussion avec une très avenante jeune dame qui devait être son épouse. Leonardo n'avait jamais ressenti avec autant d'acuité à quel point le bonheur des autres pouvait être insupportable quand on se sentait soi-même profondément malheureux. Portinari tenta de l'arrêter dans sa course pour faire les présentations, mais Leonardo ne prit pas même la peine de se retourner et déboula dans la rue où l'attendait Pieter.

En découvrant le visage blanchâtre du jeune homme, il comprit instantanément que l'irréparable avait été commis. Les deux hommes ne prononcèrent pas un mot, et l'apprenti reprit sa course en sens inverse afin de lui dévoiler l'atroce vérité. Combien de temps dura cette cavalcade ? Leonardo brûlait à présent d'affronter la réalité, mais il redoutait tellement cet instant qu'il aurait voulu que leur foulée ne cesse jamais. Quand ils arrivèrent devant le porche de la petite église en brique, Pieter marqua un temps d'arrêt. Il dévisagea l'Italien, comme pour lui donner une ultime dose de courage, et poussa la grande porte de bois. À l'autre extrémité de la nef, trois béguines priaient le Christ suspendu en plein centre du chœur. Sur l'autel étaient posés deux candélabres ainsi qu'un encensoir et un calice. Leonardo ne comprenait pas l'attitude de Pieter qui avait commencé à fouiller fébrilement dans tous les coins de l'église. Fou de rage, le jeune homme se précipita vers l'autel et constata que le calice était vide. Il le jeta à terre et bondit sur l'autel afin d'examiner de plus près le Christ porté en croix. Effarées par ce comportement blasphématoire, les béguines eurent d'abord un mouvement de recul. Elles se signèrent avant de se ressaisir.

— Jeune homme, auriez-vous totalement perdu la raison ? Vous oubliez que vous êtes ici dans la maison de Dieu. Descendez de là, votre comportement lui fait gravement offense.

Toujours juché sur l'autel, Pieter se retourna et les apostropha avec violence.

— Depuis combien de temps êtes-vous ici ?

— Nous venions de commencer sexte[1] quand vous avez fait irruption comme un démon fou dans cette église. Pour l'amour de Dieu, je vous conjure de revenir à la raison…

Le jeune homme comprit qu'il ne tirerait pas grand-chose de ces béguines. Elles devaient être dans l'ignorance la plus totale du drame qui s'était déroulé ici, à moins qu'elles ne jouent à la perfection leur rôle macabre. Sur l'air du défi, il se rapprocha de celle qui lui avait parlé.

— Je connais tous les problèmes de votre communauté, et je n'en suis que plus étonné du soin méticuleux que vous consacrez à l'entretien de cette église. Tout est si propre ici, jusqu'au calice qui ne porte pas la moindre trace de poussière… ni de sang.

La religieuse embrassa le chapelet qu'elle triturait nerveusement depuis le début de leur conversation et vit avec soulagement s'éloigner les deux hommes bredouilles.

Une fois sorti, Pieter narra à Leonardo tout ce qu'il avait vu lors de sa première visite. Il était conscient qu'il courait le risque de passer pour un fou. Mais devant le visage grave du jeune Flamand, l'Italien ne songea pas une seconde qu'il pouvait se jouer de lui.

---

1. C'est-à-dire midi.

— *Il diavolo ! Il diavolo !* Seul le diable est capable d'une telle cruauté. Peut-être avons-nous été trop loin en outrepassant la volonté de Dieu. Ce sera bientôt à mon tour d'être puni.

Leonardo venait de voir tout son monde s'écrouler et se demandait à quoi pourrait bien rimer sa vie désormais. Constatant l'étendue infinie de son désarroi, l'apprenti voulut le ramener sur terre.

— Je pense que la main qui se dissimule derrière tous ces méfaits est bel et bien diabolique, mais elle n'en reste pas moins humaine… Et c'est précisément ce qui la rend aussi dangereuse, soupira Pieter en se prenant la tête entre les mains.

32

À quoi bon prévenir les autorités puisqu'il n'y avait plus de cadavre ? Et sans cadavre, pas de meurtre... Complètement abattu par la matinée qu'il venait de vivre, Pieter avait paradoxalement l'impression d'y voir plus clair. Nombreux étaient ceux qui savaient, mais il restait à les convaincre de parler, ce qui était loin d'être une mince affaire. Pour l'heure, il regrettait que Leonardo n'ait pas violé cette satanée loi du silence que tout le monde respectait depuis le début de cette sombre histoire. À contrecœur, il céda à la volonté de l'Italien qui voulait se retrouver seul et le laissa retourner chez Portinari.

Pieter, lui, reprit le chemin du quartier du très honorable *meester* Memling, bien décidé à ne pas pénétrer dans la demeure par l'entrée principale. Preuve de l'opulence du maître de céans, le peintre louait non pas une mais deux maisons que complétait un bâtiment transversal où il avait installé son vaste atelier. Derrière cet ensemble de brique rouge se trouvaient encore un jardin ainsi qu'une petite maison dotée d'une porte qui donnait sur la paisible Jan Miraelstraat. Cette entrée de service était d'ordinaire réservée aux fournisseurs et ne faisait pas l'objet d'une surveillance assidue. Pieter n'eut donc aucune peine à se faufiler par le jardin et à échapper à la vigilance de Baert, qui était profondément endormi à l'ombre du muret dont il aurait dû rejointoyer quelques briques usées. L'apprenti jeta un rapide coup d'œil vers l'atelier et constata que tout le monde – y compris le maître – était au travail. Cela lui laissait donc la voie libre pour accéder au bureau personnel de Memling situé à l'étage. En passant devant la cuisine, il entendit Tanne et Magda en grande discussion pour l'élaboration du menu du soir. Tanne s'inquiétait de l'embonpoint de son époux et reprochait à Magda de composer des plats trop riches ; cette dernière objecta qu'au sortir de l'hiver il fallait impérativement prendre des forces pour se refaire une santé. Et puis, le pauvre maître qui travaillait bien trop tard ces derniers jours avait plus que jamais besoin de sa cuisine robuste pour ne pas tomber malade.

Ces considérations culinaires les absorbaient tellement qu'elles ne remarquèrent pas Pieter qui prit la direction de l'escalier, gravit les marches et pénétra dans le bureau de Memling. Depuis qu'il était arrivé dans cette maison et qu'il avait été présenté au peintre, c'était la première fois qu'il mettait les pieds dans cette pièce. Le peintre n'aimait pas qu'on vienne l'y déranger, car il y trouvait une atmosphère beaucoup plus propice au calme et à la réflexion que dans la ruche bourdonnante qu'était devenu, le succès aidant, son atelier. C'est également ici, dans les belles fardes de cuir, qu'il conservait tous les contrats qui lui avaient été passés ; riches banquiers italiens, particuliers esthètes et surtout l'honorable Jan Crabbe, l'abbé de la prospère abbaye des dunes de Coxyde… Aucun ne manquait à l'appel. Tous les secrets des plus grands chefs-d'œuvre du maître étaient consignés dans ces notes méticuleusement classées année après année. En détaillant l'ordre qui régnait dans cette pièce, Pieter comprenait mieux la réussite éclatante du peintre ; elle ne tenait pas à son seul talent mais aussi à l'extrême rigueur avec laquelle il gérait ses affaires. Toute la difficulté consistait à présent à découvrir la zone d'ombre de l'homme sans pour autant bouleverser cet ordre sans faille.

Sous un ample drap de velours étaient protégées les toiles à livrer, les tableaux refusés ou ceux dont il n'était pas satisfait, ainsi que quelques esquisses. En examinant ces œuvres, Pieter songea encore une fois qu'il avait un très long chemin à accomplir avant d'atteindre un tel degré de perfection. Nul autre que Hans Memling ne possédait avec autant d'assurance le sens de l'harmonie, de la forme et de la douceur, personne mieux que lui ne pouvait abandonner le réalisme traditionnel et ennuyeux en inventant un nouvel art empreint d'intériorité et de sentiments délicats. En regardant consciencieusement chaque œuvre, il finit par tomber sur une toile soigneusement emballée, destinée sans doute à effectuer un long voyage. Pieter la posa délicatement sur la table de travail de son maître et défit avec précaution les fines cordelettes qui avaient été nouées de part et d'autre de l'œuvre. Il ôta l'étoffe grise qui la recouvrait et révéla le visage empreint de sérénité et de délicatesse d'une jeune femme ; une image parfaite de la pureté qu'éclairait un regard tout en harmonie. Pieter reconnut sans peine le visage qu'il avait découvert pour la première fois dans une chapelle ardente. Il retrouvait la jeune vierge repêchée dans le canal, et son visage offrait, à son grand étonnement, une image rassurante et pleine de vie. Quel gâchis, pensa-t-il ; pareille jeune fille avait tout pour être heureuse. Pourquoi le destin brise-t-il les rêves les plus beaux ?

La composition et le format de la toile achevèrent de confirmer tous les soupçons de Pieter. Il était tellement satisfait de toucher enfin au but qu'il ne put s'empêcher de murmurer :

— Je ne m'étais donc pas trompé.

La porte s'ouvrit derrière lui et Memling apparut, nullement étonné de surprendre son élève en train de fouiller dans ses affaires.

— Soit, mais ne penses-tu pas que la vérité arrive trop tard pour nous tous ?

33

Le visage de Memling trahissait une grande lassi-
tude. Il invita Pieter à prendre place sur le banc situé à
côté de la table et se dirigea vers un coffre de chêne sur
lequel étaient posés une carafe et deux gobelets. Il les
remplit de bière, tendit le premier à son apprenti et but
le second d'un seul trait avant de pousser un profond
soupir. Ensuite, il vint s'asseoir sur le banc et contempla le tableau que Pieter venait de découvrir. Il caressa
délicatement la toile et soupira à nouveau.

— Une telle beauté devrait être éternelle, mais le
destin est quelquefois sans pitié; il n'a que faire de la
pureté d'une âme s'il est décidé à frapper. Notre seule
consolation ici-bas est de savoir que l'art est capable
de prolonger la beauté des choses et des sentiments
à travers le temps. Songe à un couple amoureux qui
a fait réaliser son portrait et qui, soumis à l'épreuve
du temps, commence à se déchirer. Ils peuvent être
rassurés : l'harmonie continuera à régner sur la toile
par-delà les mesquineries du vivant. Le monde des
hommes renferme tant de laideur et de violence que
le rôle des artistes est de lui insuffler une part de bonheur et d'harmonie. Linden, quand tu tiens un pinceau,
n'oublie jamais cela : il n'est nul besoin de dépeindre la
laideur; cela, les militaires et certains de nos puissants
et redoutés seigneurs s'en chargent déjà fort bien. La

mission qui t'incombe est de rendre le monde plus beau qu'il n'est dans sa triste réalité.

Pieter aurait volontiers prolongé cette leçon de peinture, mais il fallait qu'il en sache plus. Il redressa la toile et contempla une fois encore le délicat sourire de la vierge, puis il se retourna vers son maître.

— Voici donc le deuxième volet du diptyque sur lequel vous nous faites travailler. Depuis quand la malheureuse fille Demeester connaissait-elle Lorenzo Rienzi?

Memling porta de nouveau son gobelet aux lèvres, mais, constatant qu'il était vide, le reposa sur la table, puis prit une profonde inspiration pour commencer son récit.

— L'histoire débute en l'an de grâce 1468, quand notre bonne ville accueillit les fastueuses noces du duc Charles le Téméraire et de Marguerite d'York, sœur du roi d'Angleterre. Les rues de Bruges avaient été tendues de très riches draps d'or et de soie ainsi que de tapisseries. De mémoire de bourgeois, on n'avait jamais vu pareille réjouissance en nos murs.

— Oui, mon père m'a raconté qu'on avait même installé pour l'occasion un grand pélican blanc qui se frappait la poitrine dont sortait comme par miracle de l'hypocras[1].

— C'est vrai, trois cents hommes s'affairaient à la cuisine, quatre-vingts à la saucerie, à l'échansonnerie et à la paneterie[2], sans compter les soixante hommes qui étaient requis pour chaque office. C'était là chose

---

1. Vin mêlé de sucre et d'épices qui était généralement servi à la fin du repas.
2. Respectivement services de la sauce, de la boisson et du pain.

bien incroyable à voir ! Il faut dire que les noces furent célébrées durant plus d'une semaine – notre duc a toujours possédé le sens inné de la grandeur. Les organisateurs des festivités allèrent même jusqu'à concevoir d'étranges dragons qui sortaient des rochers en jetant du feu et des flammes devant l'assistance méduseé. La ville était comme ivre de liesse et se laissa étourdir par la plus grande fête jamais donnée.

— Tout le monde participait ?

— Oui, riches, puissants et pauvres drôles s'étaient retrouvés dans une même folie que le duc eut la faiblesse de percevoir comme un gage infaillible de sa popularité. La vérité est que tout le monde, dans la rue ou dans les salles du palais, voulait profiter de ce qui pouvait lui être offert. Les invités au banquet conservèrent un souvenir émerveillé des entremets[1] qui avaient été donnés pendant les ripailles. Le troisième entremets du premier jour mettait en scène un grand dromadaire plus vrai que nature, qui entrait majestueusement dans la salle. Il était harnaché à la mode sarrasine avec des cloches dorées et deux amples paniers sur le dos, entre lesquels un homme travesti à l'orientale se tenait assis. Le dromadaire commença à remuer la tête et prit des allures d'animal sauvage quand l'homme qui était juché dessus tira des animaux étrangement peints de ses paniers et les jeta dans la salle par-dessus les tables, dans les rires et les cris de tous les convives. Ces drôles de bêtes à l'apparence inconnue devaient venir des Indes lointaines… C'est à ce moment-là qu'un jeune et riche Florentin invité par la cour de Bourgogne fit la connaissance de la jeune fille d'un des négociants en drap les plus réputés de la ville.

---

1. Tableaux vivants représentés à l'occasion des banquets.

— Vous voulez dire que Lorenzo Rienzi rencontra Margarita Demeester lors des noces de Charles le Téméraire ?

— Oui, et la soirée était loin d'être finie. Le dromadaire repartit au son des trompettes et des clairons, et toute l'assistance commença à danser après que l'on eut poussé les tables. J'étais présent, et bien que ma mémoire me fasse parfois défaut pour ce genre de détail, je pense me souvenir que nous dansâmes jusqu'à ce que sonnèrent trois heures après minuit.

Pieter regarda une nouvelle fois le portrait de Margarita qui reprenait vie par le récit de Memling. Subitement, cette vierge délicate à l'air trop sage devenait une jeune fille pleine de vie et de joie. Pour un peu, il l'aurait entendue rire et chanter dans la grande salle du palais, frôlant chaque fois qu'elle le pouvait la main du jeune seigneur italien qu'elle ne connaissait pas encore quelques heures auparavant.

— Pour la célébration des noces, poursuivit Memling, Bruges accueillit les personnages les plus importants de l'étranger, qui eurent l'occasion de rencontrer tous les grands bourgeois de la ville. Demeester, ton oncle Maximiliaan, Portinari et moi-même participions à ces jours de liesse, et les rencontres que nous y fîmes furent bénéfiques pour nos affaires. Mais toutes les bonnes choses ont une fin. À l'issue du neuvième jour de bombance fut donné un ultime entremets, au cours duquel deux géants armés de bâtons introduisirent dans la salle une baleine de soixante pieds de long et si haute que deux hommes à cheval, s'ils s'étaient tenus à chacune de ses extrémités, ne se seraient point vus l'un l'autre. De sa bouche sortirent deux sirènes portant peignes et miroirs qui entonnèrent une chanson étrange, ainsi qu'une douzaine de chevaliers des mers armés d'un

bâton et d'un bouclier. S'ensuivit une scène de jalousie
entre les hommes, et tout ce petit monde retourna bien
vite dans la gueule de la baleine qui reprit son chemin.
La fête prit fin le lendemain ; le temps était venu pour
chacun de retourner à ses occupations.

— Que sont devenus Rienzi et Margarita ?

Le regard de Memling se fit de plus en plus lointain,
un peu comme s'il aspirait à remonter le fil du temps
pour changer le cours des choses…

— À la faveur des tourbillons de la fête, ils avaient
réussi à se revoir dans les jours qui avaient suivi leur
rencontre, et leur amour n'avait fait que croître. Le père
de Margarita, qui avait tout compris, voyait cette idylle
d'un très mauvais œil. D'abord parce qu'il avait déjà
choisi pour futur gendre Hendrik De Meulenaere, un
jouvenceau issu d'une vieille famille brugeoise auquel
il pourrait confier ses affaires quand il prendrait sa
retraite. Le pauvre Demeester ne s'est jamais consolé
de ne pas avoir eu de garçon et considérait sa fille
comme son unique espoir de perpétuer la renommée de
sa maison, mais Margarita n'avait jamais eu un regard
pour le pauvre Hendrik qu'elle jugeait trop ennuyeux.
Par ailleurs, Demeester ne voulait pas entendre parler de cette amourette parce qu'il craignait comme la
peste de voir cette fille qu'il chérissait plus que tout
au monde partir vivre en Italie. Il s'opposa donc fermement à toute union entre les deux jeunes tourtereaux et
décida d'envoyer sa fille parfaire son éducation chez
une tante qui vivait à Bruxelles. C'est à cette époque
que Demeester m'a demandé de commencer à travailler
à un portrait de sa fille.

— Vous connaissiez déjà Lorenzo Rienzi ?

— Oui, il avait émis le souhait de me rencontrer
pour contenter son père qui cherchait à jouer un rôle

d'intermédiaire dans les commandes de tableaux flamands pour de riches Florentins. L'affaire n'avait pas abouti, mais j'avais tissé des liens amicaux avec ce jeune homme qui me semblait promis à un brillant avenir.

Hans Memling se leva et alla se remplir un nouveau gobelet de bière. Bien qu'il ne puisse le jurer, Pieter eut l'impression que quelques larmes coulaient sur les joues du peintre et que celui-ci, pour cette raison, évitait de croiser son regard.

— Vous étiez donc particulièrement mal placé entre le père inquiet et le soupirant éconduit que vous estimiez tous deux…

— Oui, d'autant plus que Jan Demeester est un de mes meilleurs amis. Jamais je n'aurais voulu lui faire de la peine. J'ai donc demandé à ton oncle d'arranger chez lui une dernière rencontre des amoureux, afin qu'ils puissent se dire adieu sans que Jan ne s'aperçoive de rien. Après quoi, la vie a repris son cours.

— Jusqu'au retour de Rienzi, sept années plus tard…

— J'avais reçu un courrier de Florence m'informant que Lorenzo Rienzi viendrait à Bruges pour régler des affaires financières pendant quelques jours. Profitant de l'occasion, il me passait commande d'un diptyque constitué de son propre portrait ainsi que de la copie du portrait de Margarita que j'avais réalisé pour la famille Demeester. Je savais que Jan serait furieux s'il apprenait que j'avais accepté cette commande peu coutumière, mais le souvenir de ce couple éperdument amoureux n'a jamais quitté ma mémoire, et j'ai la certitude que ces deux âmes parfaitement accordées dans la vie offriront le plus beau des reflets dans ma peinture.

L'artiste se dirigea vers la table et remballa l'œuvre avec précaution avant d'aller la remettre à l'endroit où

Pieter l'avait trouvée. Pendant ce temps, il poursuivit son explication.

— C'est pourquoi j'ai accepté de réaliser la copie d'une de mes propres œuvres et que j'ai étoffé mon atelier – notamment en t'engageant –, afin de réaliser au plus vite le portrait de Lorenzo. Maximiliaan savait que Rienzi logerait au palais Bladelin, et il craignait les réactions de Portinari quand son compatriote viendrait mettre son nez dans ses comptes. Il décida donc de te demander de veiller sur lui… Tu connais la suite de l'histoire aussi bien que moi.

— Veiller sur lui sans succès puisque Lorenzo a rejoint Margarita par-delà la mort.

Memling se retourna et dévisagea le jeune homme.

— Personne ne peut affirmer qu'il est mort. Il a choisi de disparaître quelque temps pour effacer son chagrin, parce qu'il n'a pas supporté l'idée d'être privé à tout jamais de celle qu'il avait toujours aimée.

Pieter ignorait comment le peintre était déjà au courant de la disparition du Florentin, mais il estima qu'il valait mieux taire la macabre rencontre qu'il avait faite dans l'église des béguines. Il préféra agir avec subtilité pour tenter de le désarçonner…

— Ainsi, vous pensez qu'il serait parti en laissant à Bruges son meilleur ami ainsi que le tableau inachevé dont il avait tellement rêvé ?

Memling marmonna qu'il n'avait plus besoin de ce tableau pour entretenir le souvenir d'une morte et que Leonardo savait probablement mieux que quiconque où se cachait son maître. Pieter aurait encore voulu aborder l'épisode de la rencontre dans l'entrepôt la veille au soir, mais il comprit qu'il était temps de quitter la pièce quand Memling se releva et changea subitement de ton.

— À présent, j'aimerais que tu retournes à l'atelier, car je te crois aussi bon peintre que bon enquêteur. Hélas, je crois que tu n'abandonneras pas cette affaire avant son dénouement. Fais-moi seulement le serment de ne pas raconter l'histoire du tableau à Demeester; il a déjà assez souffert dans cette histoire, et j'estime qu'il est inutile de réveiller les morts.

Pieter ne répondit pas, mais son regard suffit à donner à son maître un gage de confiance. En quittant la pièce, il réalisa tout l'intérêt qu'avait le père de Margarita à voir disparaître l'homme qui lui avait volé sa fille adorée et qui découvrait à présent ses prétendues malversations menées avec la complicité de Portinari. Il allait falloir jouer serré pour ne pas laisser échapper le bon poisson de la nasse.

34

À force d'être plongé dans l'obscurité, le regard finit par s'habituer à deviner puis à reconnaître les formes comme en pleine lumière. La nuit se confond avec le jour, et la journée est rythmée par les cloches des églises; matines, laudes, prime, tierce, sexte, vêpres et complies constituaient autant de rendez-vous avec Dieu auxquels chacun se devait d'être fidèle et préparé. La fillette avait l'habitude de passer de longues heures dans cette cave, à l'abri des méchants du monde extérieur. Tout au plus se plaignait-elle parfois de l'humidité et du froid qui y régnaient, mais au moins, ici, jamais le Diable ne saurait la trouver. Elle ne doutait pas non plus qu'elle serait encore plus forte si elle réussissait à ne pas succomber à toutes les tentations, comme la faim et la soif, que lui imposait sournoisement son corps. Si elle se sentait faible, elle n'avait qu'à prier en regardant fixement le petit crucifix de bois et le rameau de buis qu'elle avait accrochés devant elle.

Au palais Bladelin, deux ambiances radicalement opposées coexistaient. Le retour de la maîtresse et de l'enfant de la maison lui avait rendu le petit air de fraîcheur et de bonheur qu'il avait perdu depuis de longues semaines. Mais au premier étage, dans la chambre de Leonardo, l'atmosphère était tout autre. Le Florentin était totalement abattu et, pour la première fois de sa vie, il ne savait pas comment réagir. Perdu dans ses souvenirs, tenaillé par les soupçons les plus contradictoires et animé par des envies de vengeance, il avait perdu tous ses repères. Il se faisait l'effet d'un animal pris au piège, affolé, qui se tape la tête contre les murs. Portinari ou son comparse auraient pu entrer d'un moment à l'autre dans la pièce et l'achever sans déclencher chez lui la moindre réaction. Qu'était devenu l'excellent soldat qui ne cédait jamais à la panique ? Sans son maître, sa vie était devenue sans but. Comment aurait-il pu imaginer en arrivant dans cette ville maudite qu'il devrait la quitter seul ? Et d'ailleurs, pourquoi retournerait-il à Florence ? Pour annoncer au père de son meilleur ami qu'il ne s'était pas montré digne de la mission qui lui avait été confiée ? De guerre lasse, il demanda au serviteur de Portinari de lui apporter une pleine cruche de vin qu'il commença à boire. Au moins le vin pourrait-il lui montrer le chemin de l'oubli, la porte apparemment inaccessible de la sérénité retrouvée… Cette cruche n'était que la première d'une longue série.

35

Non loin de l'église Notre-Dame se situait l'arrogante demeure de Demeester. Impossible de la manquer ! Dès la façade ornée de deux lions appuyés sur un blason, il fallait que le visiteur sache à qui il avait affaire, autrement dit à l'un des marchands les plus puissants et les plus respectés de la ville. Le seul regret du négociant en drap était le voisinage du somptueux palais de la famille Van Brugghe que l'on appelait plus communément le palais Gruuthuse. La famille avait fait fortune en détenant le monopole de la vente de la « grute », savant mélange de plantes et de fleurs séchées qui était utilisé pour produire de la bière. Louis de Gruuthuse, le fils du fondateur, se présentait lui-même comme un mécène, diplomate et humaniste, qui avait fait graver sur sa façade sa belle devise : « Plus est en vous ». Cette réussite avait le don d'agacer Demeester qui digérait encore plus mal le fait que son flamboyant voisin soit chevalier de la Toison d'or, alors que lui restait un vulgaire marchand d'étoffes ; riche, soit, mais sans panache.

Pieter connaissait ces petites histoires dont tout Bruges se délectait et avait même eu droit, grâce à sa logeuse qui comptait parmi ses meilleures amies une servante du seigneur Louis, à une version particulièrement méchante des multiples mesquineries qui envenimaient leurs relations de voisinage.

Alors qu'il craignait de trouver porte close, Pieter eut la surprise d'être rapidement conduit auprès de Jan Demeester. Le gros marchand le recevait dans un petit entrepôt où il avait coutume de rassembler des échantillons de tous les draps qu'il possédait. Au beau milieu de la pièce, assis sur un tabouret de chêne, il répertoriait les étoffes avec l'aide d'un secrétaire qui notait scrupuleusement dans un registre toutes ses remarques.

— Entrez, jeune homme, je me demandais quand vous finiriez par pousser la porte de cette triste maison.

Pieter racla le fond de sa gorge et remercia son hôte pour son hospitalité. Ce dernier semblait lire dans les pensées de l'apprenti et lui dit qu'il pouvait parler sans crainte devant son secrétaire, pour lequel il n'avait aucun secret.

— Vous savez probablement que le seigneur Rienzi a disparu…

Demeester ne lui laissa même pas le temps de continuer.

— Je mentirais en vous disant que cela m'affecte ; je pense qu'il a déjà fait assez de mal aux honnêtes gens de cette ville pour que nous le pleurions.

— Permettez-moi d'insister, mais j'ai appris la relation qu'il a un temps entretenue avec votre fille, et je sais aussi que vous aviez plusieurs affaires en cours avec le seigneur Portinari, sur lequel Rienzi était chargé par son père d'enquêter.

Après avoir décliné sa tirade sans défaillir, Pieter fut le premier à s'étonner de son audace. Il restait à voir si elle allait payer.

Demeester se leva avec difficulté de son tabouret bas et alla porter le tas d'étoffes qu'il venait de répertorier dans un grand coffre de bois clair orné de lourdes serrures en fer forgé. Il donna un rapide coup de clé pour éloigner ses trésors des regards indiscrets et se retourna vers le jeune homme, qui sentit ses jambes se dérober sous lui.

— Eh bien, mon garçon, puisque vous savez tout, je ne vous apprendrai rien en vous disant que je n'ai pas fait disparaître le seigneur Rienzi car il avait jadis aimé ma fille, que je n'ai pas été le complice du seigneur Portinari pour accomplir ce forfait ; et cependant j'éprouverais beaucoup de plaisir à me débarrasser de lui de mes propres mains. Mais, que voulez-vous, je suis trop vieux pour être chevalier sans peur et sans reproche, trop ignorant pour être philosophe, et surtout trop lâche pour être meurtrier. Je ne suis qu'un riche commerçant qui a vu partir toutes ses raisons de vivre, sa femme et ses filles, et qui travaille aujourd'hui pour s'enrichir toujours plus et ne plus penser à rien. Dans sa grande clairvoyance, Dieu ne m'a confié que ce don des affaires, alors, je l'use jusqu'à la corde.

Le secrétaire faisait mine de ne pas écouter et terminait ses écritures en laissant dépasser de sa bouche un petit bout de langue, ce qui lui donnait un air particulièrement appliqué. Demeester ouvrit un autre coffre et en sortit une pleine brassée de fils de laine avant de reprendre son ouvrage sur la grande table placée au centre de la pièce.

Le jeune homme ne prononça plus un mot. Il allait quitter la pièce quand il entendit cette dernière phrase emplie d'une ironie froide et sans appel.

— Et tant que vous y êtes, n'oubliez pas de féliciter votre cher oncle pour ses excellentes initiatives. À
cause de lui, vous êtes devenu une victime, comme chacun d'entre nous dans cette triste affaire. Ne l'oubliez
pas…

36

Quand il avait besoin de réfléchir, Pieter prenait la route du Kruisvest, à l'est de la ville. En quelques minutes de marche, il quittait l'atmosphère fébrile de la cité et retrouvait la quiétude de la campagne, une tranquillité insouciante, seulement rythmée par le son des ailes de vingt-cinq moulins à vent qui fendaient l'air avec bonhomie. Le jeune homme pouvait passer des heures à penser ou rêver ici sans que personne ne vienne le déranger; c'est à l'ombre de ces géants de bois qu'il s'était caché à la mort de sa mère, au moment où il avait pensé que tout s'écroulait autour de lui. Il choisit un coin d'herbe à l'ombre d'un petit arbre fruitier et s'y étendit de tout son long. Son regard pointé vers le ciel était traversé par les larges ailes d'un moulin qui tournaient à belle allure – le vent de ce début de matinée était plus fort que d'habitude. En venant, il avait croisé plus d'une Brugeoise qui tenait sa coiffe avec précaution pour empêcher qu'elle ne s'envole à la faveur d'un souffle capricieux d'Éole.

Petit à petit, les mouvements du moulin lui donnèrent envie de fermer les yeux et de s'assoupir. Les derniers jours avaient été éprouvants, et sa blessure pourtant bien cicatrisée continuait à le fatiguer chaque fois qu'il accomplissait un effort soutenu.

Il se retrouva devant la porte de l'église. Lorenzo Rienzi tout ensanglanté vint lui ouvrir et le pria de le suivre au fond de la nef qui baignait dans une lumière rouge aveuglante. Plantés autour de l'autel, Maximiliaan, Demeester et Memling célébraient un étrange office au cours duquel ils buvaient chacun à leur tour dans le calice qui avait recueilli le sang du Florentin.

À ce moment-là pénétrèrent trois sœurs par la porte de la sacristie. Un voile cachait entièrement leur visage, et elles vinrent s'asseoir sur le premier banc. Elles trituraient nerveusement un gros chapelet et récitaient des prières incompréhensibles sans prêter attention à la scène qui se déroulait devant elles. Pieter tourna les yeux vers l'autel et découvrit avec stupeur que Rienzi avait repris sa place sur la croix qui pendait sous la poutre de gloire barrant l'entrée du chœur. Il se tourna vers les trois sœurs et, après un temps d'hésitation, il découvrit le visage de la première, qui n'était autre que Tommaso Portinari. La deuxième avait le visage de Charles le Téméraire, le très redouté grand duc d'Occident. Enfin, il se dirigea vers la troisième et ôta d'un coup sec le voile qui lui dissimulait le visage, un visage qui n'était en fait qu'un crâne décharné et grimaçant comme on en trouve dans les représentations de l'Enfer chez certains peintres. Memling laissa ses amis et se mit à prier à genoux devant le tableau qui ornait le fond du chœur. Pieter s'approcha et découvrit le diptyque de Rienzi et de Margarita. Le volet représentant le jeune homme saignait abondamment, et le sang se répandait autour de Memling qui restait sans réaction. Quant au volet de Margarita, il avait perdu la sérénité qui avait fait l'admiration de l'apprenti ; la jeune fille était en proie à une angoisse terrible et tentait de se dégager de la toile tandis qu'on l'étranglait par l'arrière avec un long chapelet. Effrayé, Pieter n'avait plus qu'une idée fixe, quitter l'église au plus vite, alors que tous ses occupants se mettaient à rire et que dans le lointain résonnait le cri d'un enfant. Arrivé à la porte, il s'aperçut qu'elle était bloquée et que tous ses efforts pour la forcer restaient vains. Terrifié, il leva les yeux vers la voûte qui commençait à s'écrouler. Soudain, il eut la sensation d'être noyé ou, plus exactement, aspergé d'eau sur le visage.

Il se réveilla en sursaut et se retrouva nez à nez avec un chien qui avait entrepris de lui lécher consciencieusement la figure.

L'apprenti était heureux que tout cela ne fut qu'un rêve et se dit qu'il n'avait probablement pas assez dormi la nuit passée. Il prit la gueule du chien entre ses mains et commença à lui parler.

— Tu vois, le chien, derrière ce crâne se dissimule la dernière zone d'ombre de cette histoire, mais je pense à présent avoir ma petite idée pour la dévoiler.

Le chien, trop heureux d'avoir trouvé un compagnon de jeu, alla chercher un bâton quelques pas plus loin. À son retour, il constata avec dépit que Pieter était déjà parti en direction de la *Chope d'Argent*.

À cette heure matinale, le *lange* Gerard était en plein nettoyage de la taverne. Il avait sorti les bancs et il les aspergeait à grande eau. Si les respectables bourgeoises de la ville avaient su avec quel soin Maximiliaan entretenait son établissement, elles auraient probablement été jalouses d'une telle propreté. Gerard reconnut de loin le neveu de son patron et profita de cette diversion inespérée pour interrompre sa fastidieuse besogne.

— Hé, Pieter, tout va bien? Si tu veux parler à Maximiliaan, il est dans la réserve en train de remplir des cruches de bière à conserver au frais. On annonce pour aujourd'hui l'arrivée d'un équipage de Biscayens qui, comme tu le sais, ont toujours besoin de se rafraîchir amplement le gosier après une longue traversée.

Pieter contempla un peu plus loin sur le quai la grande grue de bois qui déchargeait un élégant navire livrant des tonneaux en provenance de Gênes. Pour l'actionner, trois hommes en guenilles tournaient une grande roue qui entraînait à son tour les cordages auxquels était attaché le chargement. Dans ce quartier de la ville, chaque instant était précieux ; il fallait agir vite et avec précision pour ne pas retarder les autres et grever son commerce. C'est ce genre de détail associé à l'ardeur au travail de ses habitants qui avait fait de Bruges la ville brillante qu'elle était devenue ; mais au prix de combien de compromissions et de vilenies. Pieter songea une fois encore qu'il aurait fait un bien piètre commerçant avec son incapacité viscérale à jouer un double jeu. Il sentit une main se poser sur son épaule et entendit une voix familière.

— Alors, mon neveu, si tu es venu pour que je t'offre ta première chope dès cette heure du jour, je te répondrai que tu es sur une mauvaise pente, plaisanta Maximiliaan.

Pieter sourit et secoua la tête.

— Non, je suis venu m'excuser pour mon comportement de l'autre jour, je suis encore bien jeune pour vous juger. Mais le plus difficile à vivre est la disparition de Rienzi, dont je me sens le principal responsable.

Maximiliaan ramassa un petit caillou qu'il jeta dans le canal.

— Comment te reprocher ta probité. C'est plutôt toi qui devrais nous donner des leçons, mais tu apprendras un jour qu'il faut parfois savoir faire des concessions pour avancer dans la vie. L'important est de demeurer fidèle aux valeurs essentielles auxquelles on tient. Pour ce qui est de l'infortuné Rienzi, je pense comme toi que nous ne le reverrons plus et, par saint Joseph, j'ignore qui a pu le faire disparaître. De grâce, j'espère que tu me conserves ta confiance, car je ne suis en rien mêlé à cela.

— En tout cas, pas directement, rectifia Pieter.

Pour toute réponse, Maximiliaan baissa les yeux.

— Je t'ai déjà dit de ne plus t'occuper de cette affaire et de penser sérieusement à ton avenir. J'ai discuté avec Memling ; il a été très content de toi, et il est même prêt à te garder quelque temps auprès de lui. C'est une chance qui ne se représentera pas. Mieux vaut oublier tout le reste et le rejoindre.

L'apprenti devina aisément où entendaient le mener son oncle et ses amis.

— Les leçons ne vous servent donc à rien ? Une nouvelle fois, vous voulez acheter le silence en récompensant l'agneau qui aura la docilité de se taire. Eh bien, navré de vous décevoir, mais vous ne me ferez pas taire, parce que je suis près du but et que je dois à la mémoire de ceux qui ont perdu la vie de percer le secret. Quelque part dans cette ville se terre un monstre assoiffé de sang qui a pris le goût de tuer. Il ne s'arrêtera pas seul, mais moi je le contraindrai à le faire.

— Je savais que tu réagirais ainsi ; sois prudent mon neveu. À partir de maintenant je ne puis plus rien pour toi.

37

Que devenait Leonardo? Pieter estima qu'il était grand temps de s'en inquiéter et de lui apprendre ses récentes découvertes. En se dirigeant vers le palais Bladelin, il passa du côté du *Markt* où toute la ville avait coutume de se retrouver pour discuter des dernières nouvelles. Il ne fut donc pas étonné d'apercevoir, non loin du beffroi, sa logeuse en grande conversation avec une commère qu'il ne connaissait pas. Le récit avait l'air passionnant, mais dès que *mevrouw* De Coster s'aperçut de la présence de son locataire, elle abandonna son interlocutrice comme un vieux chiffon usé et courut vers Pieter qui ne l'avait encore jamais vue dans un état pareil. Surexcitée, elle ne prit pas le temps de reprendre son souffle pour lui expliquer la raison de son empressement.

— Ah, vous voilà, on peut dire que vous m'en avez donné du fil à retordre! J'ai beau connaître la ville par cœur, Dieu m'est témoin que je vous cherche partout depuis ce matin sans réussir à vous trouver.

— Heureusement, Dieu n'a pas été sourd à tous vos efforts, et vous avez enfin mis la main sur moi. Mais, dites-moi, pourquoi une telle ardeur? Si vous comptez me reparler de mon retard de loyer, j'ai déjà eu l'occasion de vous expliquer que ce n'était plus qu'une question de jours.

La bonne femme balaya cette vulgaire question d'argent d'un revers de main théâtral.

— Nous parlerons de cela plus tard. Ce que j'ai à vous dire est beaucoup plus urgent, et si, pour une fois, vous n'étiez pas parti aussi tôt ce matin, j'aurais déjà eu l'occasion de vous en parler.

— *Mevrouw*, je vous en prie, venez-en au fait.

Satisfaite d'elle-même comme un bon pêcheur quand il vient de ferrer un gros poisson, elle ménagea encore un peu son effet et finit par lui révéler la raison de son excitation.

— Vous vous souvenez du pli que vous m'avez fait envoyer chez mon amie à Bruxelles ? Eh bien, je viens enfin de recevoir la réponse.

— C'est vrai ? Mais que ne me le disiez-vous plus vite, diablesse de femme…

L'air conquérant, elle lui tendit la missive.

— Et je pense que vous serez heureux d'apprendre que vous aviez raison…

— Pour une femme qui ne sait pas lire, vous m'avez l'air comme de coutume fort bien informée, nota Pieter en essayant de paraître menaçant.

Après avoir parcouru le billet, son visage s'illumina d'un large sourire et il embrassa la commère qui se sentit défaillir.

— Je dois vous laisser, il faut absolument que je passe chez Portinari pour porter la bonne nouvelle à Leonardo !

Il laissa sa logeuse et fonça vers le palais du Florentin. Portinari s'agitait dans la cour en discutant à l'italienne – avec force gestes – avec un sculpteur auquel il comptait commander une grande statue en marbre de la Vierge à l'Enfant pour orner sa chapelle personnelle. Lui aussi interrompit sa conversation dès qu'il vit Pieter, qui s'étonna que tous se disputent sa compagnie.

— Cher Messire Linden, comme je suis heureux de vous voir ! Je suis terriblement inquiet pour notre ami Leonardo. Depuis hier, il boit cruche de vin sur cruche de vin et refuse obstinément de sortir de sa chambre, en ressassant des paroles terribles sur la mort de son ami. Ma gouvernante a voulu forcer la porte, et elle l'a trouvé comme fou, dépenaillé. Mais ce n'est pas tout ; il lui a envoyé une cruche vide à la figure en manquant la blesser. Depuis lors, la pauvresse n'ose plus l'approcher... Il est comme possédé. Vous seul pouvez lui faire entendre raison.

Pieter monta prestement vers la chambre qu'occupait celui qui n'était plus qu'un homme désespéré et sans but. Il trouva l'huis verrouillé de l'intérieur et commença à lui parler à travers l'épais panneau de bois.

— Leonardo, c'est moi, Pieter. Je crois que nous touchons au but, nous allons enfin pouvoir venger Lorenzo.

Pour toute réponse, il ne recueillit qu'un long silence. Pieter commençait à perdre patience.

— Leonardo, que comptes-tu faire ? Demeurer en ce palais ennemi pour continuer à boire jusqu'à la fin de tes jours ? Ce n'est pas ce genre d'homme dont Rienzi avait fait son meilleur ami.

— *Damnato Fiammingo !* Que peux-tu en savoir ? hurla-t-il de l'autre côté de la porte en jetant violemment à terre un objet qui se brisa en mille morceaux. Je ne veux plus m'occuper de cette histoire, et je ne vois plus l'utilité de rentrer en Italie. Ma vie est finie, et réveiller de vieux souvenirs n'y pourra rien changer. Va-t'en, laisse-moi seul, je n'aspire qu'à la solitude. Et demande à la bonne de m'apporter encore du vin, cette folle reste sourde à mes appels.

Pieter avait espéré pouvoir compter sur Leonardo, mais il était clair à présent qu'il allait devoir agir seul, sans la moindre aide. Il n'en voulait pas à Leonardo ; il savait qu'il n'était pas facile de se remettre de la disparition d'un être cher. Après la mort de sa mère, son père n'avait jamais trouvé le repos de l'âme et avait préféré quitter sa ville et son fils qui lui rappelaient cruellement la femme qu'il avait tellement aimée. Maximiliaan s'était chargé de rendre ces moments moins pénibles, mais la blessure restait sensible. Il faudrait du temps à Leonardo pour ouvrir un nouveau chapitre de sa vie.

Pour l'heure, Pieter devait agir vite pour éviter de nouveaux drames.

38

Avant de reprendre la bataille contre le Malin, une ultime rencontre avec le Seigneur s'imposait. Devant l'autel brûlait une quantité impressionnante de cierges, pour exaucer tous les vœux qui habitaient les cœurs purs. Le reflet des flammes qui dansaient devant le Christ en croix donnait l'illusion que ses chairs se consumaient. À moins qu'elles ne brûlent d'un nouveau souffle de vie pour remercier ses serviteurs de combattre le mal sur cette terre entachée de vices et de péchés.

En arrivant devant la porte de la petite église du béguinage, Pieter sentit une sourde appréhension monter en lui : et si Lorenzo était revenu, crucifié et sanglant ? Et si, comme dans son rêve, l'église s'effondrait sur lui ? Certaines bohémiennes racontent qu'il faut prêter foi aux rêves, ceux-ci n'étant en définitive que des fenêtres lumineuses ouvertes sur nos pensées les plus profondes.

Il était trop tard pour reculer. Pieter savait qu'il allait livrer dans la maison de Dieu le plus grand combat de sa vie. Coûte que coûte, il fallait empêcher l'ange de la mort de continuer à semer la désolation sur son passage.

À l'intérieur de l'édifice, il fut rassuré de voir que le cadavre de Lorenzo n'était pas revenu ; au moins cette mise en scène macabre lui serait-elle épargnée aujourd'hui. Il avança lentement dans la nef, la main posée sur son couteau, et se plaça à proximité des cierges afin de profiter de la forte luminosité qui s'en dégageait. Son regard croisa la petite statue en bois de la Vierge qu'il avait priée la veille et en laquelle il cherchait à nouveau une solide dose de réconfort.

L'église semblait vide, et le jeune homme commençait à se dire que son instinct lui avait joué un mauvais tour, quand il entendit un petit « psst » à sa droite.

— Pieter !

Cette fois, son prénom avait été distinctement prononcé dans le confessionnal. Le cœur du jeune homme se mit à battre très fort, et il s'agenouilla à l'endroit où prennent place d'ordinaire les confessés.

— Vous ne laissez donc jamais de repos aux âmes ?

La voix qui sortait de la grille était profonde et presque caverneuse. Alors qu'il cherchait à distinguer le visage de son interlocuteur, il ne parvenait pas à détacher son esprit du chapelet qui s'égrenait au son d'un petit cliquetis régulier.

— Le temps est venu de baisser les masques, sœur Saskya. J'ai enfin percé vos secrets.

Les grains du chapelet continuaient à s'entrechoquer ; la créature n'eut aucune réaction.

— Vous êtes Saskya Demeester, la sœur aînée de la pauvre Margarita, celle qui s'est toujours dévouée pour le bonheur de sa cadette et pour obéir à la toute-puissante volonté de son père. Afin de ne pas contre-carrer les projets d'union qu'il avait échafaudés pour votre trop jolie sœur, dont l'époux serait amené à reprendre un jour les affaires, vous êtes allée jusqu'à prendre le voile. Il est rare de nos jours de rencontrer un

tel sens du sacrifice, n'est-ce pas, ma sœur ? Mais peut-
être vous sentez-vous l'étoffe d'un martyr…

En frappant un grand coup sur la porte, elle bondit
telle une furie hors du confessionnal, suivie par Pieter,
effrayé par tant de violence.

— Apprenez, jeune mécréant, que nous sommes sur
terre pour nous sacrifier comme l'a fait notre Seigneur.
Mes actes ont toujours été guidés par le respect de Dieu,
je n'ai pas l'orgueil de penser à moi. Rien ni personne
ne m'empêchera de remplir mon devoir.

— Même si vous êtes obligée pour cela de tuer.
Même s'il s'agit de votre propre sœur, la pauvre jeune
femme que vous avez étranglée avec votre satané chapelet avant de la jeter à l'eau. Toute cette horreur pour
empêcher qu'elle puisse revoir le seul homme qu'elle
ait jamais aimé et dont vous aviez appris qu'il revenait
à Bruges…

La béguine semblait perdre tout contrôle d'elle-
même et invoquait sans cesse Jésus, Marie et Joseph
en se signant d'une main tremblante. Elle ne devait pas
avoir dépassé les trente ans mais paraissait sans âge, à
l'image de ces femmes trop conscientes de leur manque
de grâce physique pour faire le moindre effort afin de
soigner leur apparence. Son habit strict de religieuse
n'arrivait pas à dissimuler son imposante stature et
laissait même deviner une véritable force de la nature.
Difficile d'imaginer que cette femme bâtie comme
un bûcheron avait eu pour sœur la frêle et délicate
Margarita… Déformé par la haine, son visage prenait
l'apparence de ces masques burlesques derrière lesquels
se dissimulaient les comédiens quand ils donnaient des
représentations sur le *Markt*. Les spasmes nerveux qui
agitaient sa bouche charnue ne l'empêchèrent pas de
poursuivre son tragique réquisitoire.

— C'est sa faute! Elle avait laissé le démon s'emparer d'elle. Je ne pouvais courir le risque de les voir réunis à nouveau. Il ne l'aurait pas permis.

En prononçant cette phrase, elle se signa en lançant au Christ un regard désespéré.

— Malgré ce meurtre, le cauchemar n'était pas encore fini. Rienzi est arrivé en ville et a rapidement appris la disparition de son aimée. Mais il fallait à tout prix éviter qu'il ne s'approche de vous et qu'il ne voie l'enfant.

— Quel enfant? hurla la béguine. Il n'y a pas d'enfant ici, à l'exception du Fils vénéré de notre très sainte Vierge.

— Inutile de nier. J'avais des soupçons, et j'ai obtenu la confirmation de la gente dame qui hébergea jadis Margarita quelques mois à Bruxelles. Son séjour se prolongea jusqu'à ce qu'elle donne jour à une jolie petite fille prénommée Anna. Ensuite, Margarita regagna Bruges, seule, afin d'étouffer tout scandale et de rester une bonne fille de famille à marier. Il était essentiel de sauvegarder la monnaie d'échange familiale. Quant à vous, vous êtes allée chercher la petite fille peu après, c'est ce que cette femme de Bruxelles m'a appris. Depuis toutes ces années, elle vit avec vous, et vous vouliez éviter à tout prix que son père ne la retrouve.

Saskya éclata d'un rire hystérique.

— Oui! Et il ne l'a jamais vue, grâce à Dieu. J'ai montré au cher ange celui qui prétend être son père, justement puni par la main de notre Seigneur dans cette église. De cette manière, elle sait ce qu'il en coûte de défier la volonté du Tout-Puissant.

Même dans ses rêves les plus sombres, Pieter n'avait jamais imaginé que la démente aurait été jusqu'à imposer cette vision atroce à une petite fille qui devait avoir six ans aujourd'hui. Cette femme était totalement folle, et il devait absolument l'empêcher de nuire à nouveau. Il sortit son couteau et se mit à lui parler doucement.

— Ma sœur, vous allez vous calmer et faire ce que je vous dis. Nous allons quitter cette église calmement et libérer la petite fille qui n'a pas mérité de souffrir de la folie des adultes.

Le rire reprit de plus belle, et l'ombre noire de la béguine se faufila à la vitesse d'un renard vers le grand candélabre où brûlaient tous les cierges.

— Jeune écervelé, tu n'avais rien à faire dans cette histoire, mais le démon, insatiable et pervers, t'a choisi pour poursuivre le noir dessein de ceux que j'ai libérés. J'ai compris que le mal ne connaîtrait jamais de fin si je n'utilisais pas de grands moyens. La seule façon de l'anéantir et de nous purifier est de mettre le feu à cette église. Les flammes salvatrices nous consumeront, et nous nous en remettrons à Dieu pour juger de nos actes. Feu, feu... aide-nous !

Elle prit le grand candélabre et entreprit de le porter vers les draps de velours qui pendaient le long des murs de la nef. Pieter se précipita vers la porte mais constata qu'elle l'avait verrouillée. Comme dans son rêve, il était pris au piège. Il s'approcha doucement de la femme qui déplaçait avec difficulté le candélabre, répandant des grandes flaques de cire sur le sol.

Comprenant qu'il ne lui laisserait pas effectuer sa tâche en paix, elle posa son fardeau et se précipita vers le jeune homme. Pieter fut tellement surpris par cet assaut qu'il laissa échapper son poignard. Il sentit le chapelet de bois s'enrouler autour de son cou. Il tentait de se dégager, mais la femme tenait bon, avec une énergie que décuplait sa rage, alors que sa douleur au dos empêchait Pieter de reprendre le dessus. Il allait perdre connaissance quand il sentit un poids s'affaisser sur lui tandis que l'étreinte se libérait comme par miracle.

Entre deux quintes de toux, il repoussa le corps de la béguine qui roula jusqu'au pied d'un banc, et découvrit avec surprise la silhouette d'Alessandro qui frottait tranquillement la lame de son couteau.

— J'ai un peu tardé avant d'agir, pardonne-moi. Je dois reconnaître que j'étais curieux de voir comment un enquêteur de ta trempe se défendrait contre une pauvre béguine…

— Je me passerai volontiers de tes sarcasmes, mais je dois te remercier, tu viens de me sauver la vie.

— Je sais. Notre preux chevalier Rienzi n'est plus là pour le faire, il fallait bien que quelqu'un se dévoue.

Pieter tâcha de comprendre, mais son esprit étant encore très troublé, il préféra demander des explications.

— Tu as bien mené ton enquête puisque tu es arrivé jusqu'ici, mais tu as eu tort sur un point qui te concernait pourtant au premier chef. Tu as découvert depuis longtemps que Portinari était prêt à tout pour se débarrasser de Rienzi. À l'origine, il s'agissait seulement de l'effrayer pour le dissuader de mettre son nez dans nos affaires. C'est là que j'ai commis une regrettable erreur dont a fait les frais le pauvre Bartolomeo…

— Quel cynisme, tu me dégoûtes.

— Tu parles de cynisme? Tu ne crois pas si bien dire ! Le domestique avait été imposé à Rienzi par son père et n'avait d'autre rôle que de l'empêcher de revoir sa douce Margarita. *Il signore* Rienzi avait également des projets matrimoniaux plus ambitieux pour son fils, qui s'était sottement amouraché d'une petite Brugeoise sans intérêt… Je crois que Lorenzo a été plutôt soulagé de perdre son encombrant garde-chiourme. En quelque sorte, je lui ai rendu service.

Pieter s'était relevé et regardait le cadavre de la béguine qui baignait dans une flaque de sang.

— Oui, mais quand tu as cherché à le tuer en me blessant par erreur la nuit où je suis passé devant chez Portinari, ce n'était plus une simple mise en garde…

— Tu te trompes ! Ce jour-là, c'était bel et bien toi qui étais visé, et sache que je n'y étais pour rien. Ton agresseur n'était autre que notre chère béguine, qui voulait t'empêcher de perturber ses plans et de découvrir la vérité. Mais elle a été surprise par Lorenzo en pleine action et a finalement réussi à s'échapper. Moi-même, j'étais posté ce soir-là en embuscade devant le palais Bladelin, pour offrir une nouvelle frousse à notre ami Rienzi. J'ai suivi la béguine qui s'est sentie en confiance et m'a révélé tout son plan.

— Un plan qui vous arrangeait bien puisqu'il vous permettait de vous débarrasser de votre encombrant invité sans vous salir les mains…

— Tu peux l'expliquer comme cela si ça te chante, et j'avoue que nous n'avions plus de raison de nous fatiguer pour mener à bien une tâche dont d'autres se chargeraient à la perfection.

Pieter s'assit sur un banc et dirigea son regard vers Alessandro, cet homme dont il ignorait s'il devait le haïr ou le remercier.

— Une chose m'échappe encore. Pourquoi ne l'avoir pas laissée aller jusqu'au bout et mettre le feu à l'église. Vous supprimiez de la sorte un dernier témoin gênant.

Alessandro avait fini d'astiquer sa lame qui brillait à la lueur des cierges. Il sourit.

— On nous reproche souvent, à nous les Italiens, de ne pas avoir de conscience. C'est pourtant Tommaso Portinari, mon vénéré maître, qui m'a demandé de te protéger, par égard pour ton oncle avec lequel il mène quelques affaires, comme tu l'as découvert.

Pieter serra la main de son sauveur pour le remercier, mais la dureté de son regard trahissait une intense sensation de dégoût. Même s'il n'osait encore se l'avouer, il regrettait de ne pas avoir démêlé entièrement l'écheveau de cette affaire, pire, de s'être contenté de quelques approximations qui avaient failli lui être fatales. Comme il avait encore à faire, il chercha dans la poche de la béguine la clé de l'église et prit congé avec soulagement. Une fois dehors, il inspira une bonne dose d'air frais et entendit résonner dans sa tête un prénom doux comme un sourire d'enfant : Anna.

39

Depuis que la ville luttait contre les vicissitudes de son temps, le béguinage avait quelque peu perdu de sa beauté originelle. La cinquantaine de religieuses qui vivait ici ne rechignait pas à la tâche, mais son dévouement ne suffisait pas. Certaines petites maisons de brique menaçaient de tomber en ruine, et le grand verger évoquait davantage un terrain négligemment laissé en friche qu'une parcelle terrestre arrachée au jardin d'Éden. Pieter détailla toutes ces petites maisons alignées : chacune était dotée d'une fenêtre au rez-de-chaussée à côté de la porte et d'une plus petite à l'étage, au beau milieu du pignon. Tout ici invitait au calme, à la modestie et au respect de Dieu. Revenant du canal, une vieille femme portait un lourd seau d'eau. Pieter l'arrêta et lui demanda où habitait sœur Saskya. La vieille posa son récipient à terre, plissa les yeux pour identifier l'homme qui l'interrogeait et se racla la gorge de façon très sonore.

— Il est plutôt rare de croiser des jeunes gens dans ces murs, mais sache que je ne te crains point. Depuis que les temps sont devenus plus durs, nous avons appris à nous défendre.

La femme rajusta sa coiffe et tendit une main tremblante en direction de l'alignement d'habitations.

— Notre bonne et pieuse Saskya vit dans cette maison, près du grand chêne. Grâce à Dieu, nous sommes heureuses de l'avoir auprès de nous, car elle nous est d'un grand secours dans tous les durs labeurs de notre quotidien. Ne lui faites aucun mal, jeune homme, cette femme a l'étoffe d'une sainte.

Pieter remercia la béguine et se précipita vers la maison, trouvant l'huis ouvert. Compte tenu de l'exiguïté du lieu, la visite fut rapidement faite, mais il ne trouva trace ni au rez-de-chaussée ni à l'étage de la petite Anna, qu'il s'époumonait pourtant à appeler. Comme il se préparait à remonter à l'étage, il entendit un petit bruit dans la première pièce. Son sang ne fit qu'un tour. Aurait-il négligé une autre piste ? Saskya avait-elle un complice ? A moins qu'Alessandro ne l'ait suivi… L'apprenti saisit un tisonnier qui pendait à côté de l'âtre et avança à pas feutrés vers la première pièce. Il s'apprêtait à frapper quand il vit surgir une silhouette bien connue.

— Leonardo !

— De grâce, ne me défonce pas le crâne, il est déjà assez mal en point comme ça ! s'exclama le Florentin en se tenant la tête. Après ta venue chez Portinari, j'ai réfléchi et j'ai compris que tu avais raison : rester cloîtré à me morfondre n'arrangerait rien. J'ai pensé que tu retournerais à l'église afin de poursuivre tes recherches et j'ai pris le même chemin. En arrivant, j'ai interrogé une femme pour connaître l'identité des trois béguines que nous avions vues hier en prière, afin de les interroger. Lorsqu'elle a prononcé le nom de Saskya Demeester, j'ai vite compris qu'elle était au centre du drame. J'ai demandé où se trouvait sa maison, et me voilà…

Leonardo se tut et scruta chaque recoin de la pièce avant de monter à l'étage. Il redescendit quelques

minutes plus tard en tenant en main une large épée sertie de pierres précieuses. Il semblait avoir retrouvé une
bonne partie de la fougue qui l'habitait lorsqu'il était
confronté à un défi.

— La béguine n'était pas aussi folle qu'elle voulait
bien le laisser croire… Regarde, elle avait conservé sous
son lit l'épée byzantine de Lorenzo. Cette arme est un
véritable trésor, je la ramènerai à son père. J'ai vu qu'il
y avait de la terre meuble dans le petit jardin à l'arrière
de la maison ; je n'ai pas dû creuser très profondément
pour y découvrir la dépouille de mon maître. Après sa
macabre mise en scène, cette diablesse avait trouvé la
force nécessaire pour porter le cadavre jusqu'ici et le
faire disparaître.

Pieter frémit en reconstituant dans son esprit chaque
épisode de cette terrible scène.

— Nous l'exhumerons pour la ramener en Italie,
ajouta Leonardo, qui avait cette fois entièrement
retrouvé sa légendaire maîtrise de soi. (Il posa l'épée
sur la table et frappa dans ses mains.) Mais je suppose
que nous sommes ici pour chercher la petite Anna.

— Ainsi, tu étais aussi au courant ? Pourquoi ne
m'en as-tu pas parlé ?

— Je m'étais engagé auprès de Lorenzo à conserver
le secret. Mon maître n'avait jamais oublié les tendres
moments qu'il avait passés avec Margarita lors des
noces du Téméraire, mais les deux familles avaient tout
fait pour les séparer. À Florence, Rienzi avait eu bien
sûr quelques aventures, mais on aurait dit qu'aucune
femme ne pourrait jamais remplacer celle qu'il avait
aimée ici. Puis un jour, Margarita, qui était pourtant
étroitement surveillée, réussit à lui faire parvenir une
lettre dans laquelle elle expliquait qu'elle avait eu une
petite fille neuf mois après son départ. L'enfant avait

été cachée, et on lui interdisait de la voir. Elle-même ignorait où elle pouvait bien se trouver. Quand le père de Lorenzo manifesta son intention d'envoyer son fils à Bruges pour surveiller les manipulations financières de Portinari, mon maître accepta avec enthousiasme parce qu'il était bien décidé à revoir son aimée et à découvrir enfin sa fille. Il y avait eu tellement de temps perdu.

Tandis qu'il poursuivait son récit, la fougue de Leonardo s'était calmée, faisant place à une discrète mélancolie.

— Il était décidé à passer outre les avis des familles, à prendre Margarita pour épouse légitime et à fonder une vraie famille avec leur petite fille. Mais rien de tout cela ne sera possible.

Alors qu'il terminait sa phrase en baissant la voix, un petit bruit se fit entendre du plancher. Pieter se mit à sonder le sol et perçut un son creux en frappant avec son tisonnier près du mur du fond, sous une toile. Il ôta le morceau de drap et découvrit une trappe qui devait mener à la réserve de nourriture de la maison. Aidé par Leonardo, il ouvrit le cadenas et souleva le lourd panneau de bois. Toute tremblante et tenant avec force un crucifix contre elle, une petite fille blonde se terrait, recroquevillée dans un coin de la réserve. Si tout s'était passé comme l'avait escompté sa tante, cette cachette serait devenue son tombeau.

40

Durant tout le trajet qui mena Pieter et Anna du béguinage à la taverne de Maximiliaan, la petite fille n'ouvrit pas la bouche. Pas un mot sur sa tante, sur cet homme crucifié qui était son père, ni sur son enfermement. L'apprenti sentit que la fillette était heureuse de rencontrer un visage amical, même si elle demeurait impassible.

Après quelques hésitations, Pieter se rappela avoir déjà vu cette petite fille quand il avait surpris le jeu des enfants la veille. Sa tante avait dû lui confier la mission de lui glisser un billet pour venir contempler la mise en scène macabre dans l'église. Pieter n'était donc pas tout à fait un inconnu pour elle. La fillette marchait d'un bon pas malgré les privations et tenait la main de Pieter avec une force étonnante pour une aussi jeune enfant, comme si elle ne voulait absolument pas la perdre.

Quand ils arrivèrent en vue de la taverne, ils surprirent Emma en grande conversation avec un jeune marchand génois en quête de renseignements sur les endroits de la ville à découvrir pour un étranger de passage. Pieter sourit en songeant qu'il ne pouvait frapper à meilleure porte quand il s'agissait de trouver un guide prêt à payer de sa personne pour ne pas le laisser dans l'ignorance. Voyant la petite fille qui trottinait à côté de Pieter, la rousse s'esclaffa.

— Eh bien, mon jeune coq, tu me faisais des cachot-
teries, je commence à comprendre pourquoi tu repous-
sais mes avances ! Mais il ne fallait pas t'inquiéter pour
si peu ; moi, je sais prendre mes précautions !

Et elle éclata de rire avant d'annoncer à la cantonade
– et plus particulièrement à Maximiliaan – le retour
du plus célèbre peintre-enquêteur de Bruges, Pieter
Linden. Ce dernier ne goûta que modérément la plaisan-
terie, mais il chassa rapidement toute mauvaise pensée
en voyant le large sourire avec lequel l'accueillit son
oncle.

Maximiliaan embrassa son neveu comme s'il ne
l'avait plus vu depuis un siècle et caressa la tête de la
gamine. Il cria à Emma d'apporter une grande cruche
de leur meilleure bière et un gobelet de lait frais pour
la petite.

Toute la troupe alla s'asseoir à table, et la serveuse
abandonna définitivement son séduisant Génois pour
servir ses amis et emmener la petite fille loin des conver-
sations des adultes. Elle s'assit sur la marche au-dehors
et entreprit de lui apprendre comment on réalise de
jolies tresses à la mode orientale.

Pieter raconta toute l'histoire à Maximiliaan, depuis
la mort de Lorenzo jusqu'à celle de Saskya. Le taver-
nier buvait tellement ses paroles qu'il oublia de se res-
servir de bière.

— Tu vois, mon neveu, je me méfiais tellement
de Portinari que je n'ai jamais pensé que le meurtrier
puisse être Saskya. La pauvre fille ! Elle n'aura jamais
connu le bonheur sur cette terre… Mais cela n'excuse
pas ses crimes pour autant ; elle devait être à la fois
complètement folle et parfaitement lucide pour agir
sans éveiller aucun soupçon.

La bière aidant, Pieter osa attaquer son oncle de front.

— Mais si tu te méfiais tellement de Portinari, pourquoi n'avoir pas choisi d'aider Rienzi quand il te l'a demandé dans le hangar?

Maximiliaan se rembrunit et vida les quelques gouttes restant dans son gobelet.

— De toute ma vie, je n'ai jamais vécu un dilemme pareil. D'un côté, je voulais protéger Rienzi, car je savais qu'il était autant poussé par l'amour que par le devoir en revenant ici. Nous ignorions où la petite fille vivait, certains ignoraient même son existence. Après son histoire d'amour avec Rienzi, Jan expédia sa fille à Bruxelles dans l'idée de lui ôter de l'esprit ses rêves insensés. On raconta que cet exil était peut-être une manière de faire disparaître une trace compromettante de cette idylle…

— Et ils n'avaient pas tort.

L'homme qui venait de prononcer ces mots n'était autre que Jan Demeester qui, suivi par Memling et Leonardo, venait d'entrer dans l'auberge. Leonardo avait été chercher le marchand pour lui raconter par le menu et sans trop de ménagement le récit des dernières heures. D'ordinaire taiseux, l'homme avait envie de se confier. Devant toute l'assemblée, il commença sa confession.

— Tout est de ma faute dans cette histoire; j'ai toujours voulu diriger les autres et leur imposer une vie dont ils ne voulaient pas. Ma chère épouse n'avait qu'une envie, passer plus de temps avec moi, et moi, je ne songeais qu'à mon travail. Ma petite Margarita avait rencontré l'amour, et je l'ai empêchée de le vivre pour ne pas contrarier mes plans concernant la succession de mes affaires. Par la suite, je lui ai même interdit de revoir sa petite fille, une enfant que je n'ai moi-même jamais vue. Quant à la pauvre Saskya, je lui ai toujours reproché un physique ingrat, et je l'ai contrainte à quitter le monde des hommes pour qu'elle ne puisse jamais réclamer sa part d'héritage. Quand l'enfant est arrivé, je lui ai confié sa garde avec pour ordre formel de dissimuler son existence. À ceux qui se demandaient qui elle était, elle répondait toujours qu'elle était une pauvre orpheline qu'elle avait recueillie à la campagne. Aujourd'hui, il ne me reste plus qu'une petite-fille dont j'ai fait le malheur sans même la connaître.

Le silence s'était installé autour de la table, et personne ne s'était aperçu qu'Anna avait rejoint le groupe pour montrer avec fierté la jolie tresse que lui avait confectionnée Emma. Elle prit la main de son grand-père qui pleurait pour la première fois, elle grimpa sur ses genoux et entreprit de lui sécher ses larmes.

— Anna, si tu le souhaites, je serai très heureux que tu viennes vivre avec moi. Je compte transmettre une partie des affaires à mon contremaître qui m'a toujours loyalement servi. Ainsi, j'aurai davantage de temps à te consacrer.

La fillette sourit et prit son grand-père dans ses bras. Elle semblait vouloir gommer tous les drames qu'elle avait vécus pour commencer une nouvelle vie avec un vieil homme qui aurait probablement autant à apprendre d'elle que le contraire.

Pour interrompre cet instant lourd d'émotions et soulager son ami, Maximiliaan reprit la parole.

— Eh oui, les affaires nous ont tous fait commettre des actes dont nous ne pouvons être fiers. Je sais, Pieter, que tu peux difficilement nous comprendre, mais nous sommes quelques-uns dans cette ville à refuser le joug que le Téméraire fait peser sur elle. En détournant une partie de la contribution financière qu'il exige des bourgeois les plus riches, nous protégions nos fortunes et nous désobéissions à un suzerain dont nous ne voulions plus.

Memling, qui était resté debout jusqu'alors, saisit un pliant, s'assit et continua l'histoire.

— Et nous avons trouvé en Tommaso Portinari un allié inattendu. Alors que tout le monde croyait qu'il était le loyal bailleur de fonds du duc, il agissait comme tout bon Florentin qui se respecte…

Ayant parlé de la sorte, Memling jeta un petit coup d'œil embarrassé à Leonardo, mais celui-ci n'avait pas relevé la remarque.

— … Autrement dit, Portinari avait choisi de jouer sur un double tableau. Si le Téméraire gagnait, il serait reconnu par la cour comme un artisan de la victoire et s'il venait à perdre, Bruges ne saurait en vouloir à un homme qui est venu en aide à ses meilleurs bourgeois. Nous savions qu'il détournait à son profit personnel une partie des fonds affectés au financement des guerres du duc et, sur le conseil avisé des trésoriers de la ville, nous avons décidé de lui confier une partie de notre fortune afin de la soustraire à la comptabilité officielle et de ne pas être soumis à des impôts supplémentaires. Dans ces affaires, nous étions en quelque sorte liés par un pacte de silence réciproque.

Pieter ne dissimula pas une moue réprobatrice et conclut sur un ton de reproche.

— Portinari ne devait donc pas voir d'un bon œil l'arrivée de Rienzi, qui avait pour mission de révéler les malversations du représentant des Médicis à Bruges, d'autant plus que celui-ci a facilement découvert que ceux qu'il considérait comme ses amis et auxquels il

avait confié son projet de revoir Margarita trempaient
dans le même trafic.

Le silence embarrassé qui suivit cette déclaration
contrasta avec l'ambiance qui régnait dans la taverne
comme chaque soir à cette heure.

Désormais confiante, Anna s'était assoupie sur les
genoux de son grand-père qui caressait doucement ses
cheveux ; Emma, elle, semblait totalement débordée
par le service qu'elle assurait seule. Maximiliaan n'en
avait cure et n'était pas décidé à lui venir en aide, trop
préoccupé qu'il était par l'avenir de son neveu après
cette histoire.

Pieter voulut reprendre la parole, mais il fut coupé
par Memling qui souleva un lourd paquet qu'il tenait
précieusement à côté de lui depuis son arrivée.

— En tant que maître de ce jeune apprenti, je pense
avoir des droits sur lui. La commande tellement désirée
par Rienzi a été réalisée, et ce en partie grâce au grand
talent de Pieter. Aujourd'hui, le tableau revient de
plein droit au père de Lorenzo, mais je souhaiterais que
Pieter le lui remette en main propre à Florence. J'en ai
déjà parlé à Leonardo ; il est très heureux d'avoir un
compagnon pour faire la route de retour.

L'idée de découvrir Florence et d'accompagner
Leonardo qu'il considérait déjà comme un ami enthou-
siasma le jeune homme qui, en outre, n'avait aucune
envie de poursuivre ses joutes quotidiennes avec Van
den Bosch dans l'atelier de Memling.

— Si mon oncle accepte, je m'acquitterai de cette
mission avec grand plaisir.

Satisfait de sa proposition et de l'effet de surprise
qu'il venait de créer, Memling ajouta que ce serait aussi
une occasion unique pour le jeune homme d'aller visiter les artistes les plus renommés de la cité sur l'Arno

et de lui ramener certains des secrets qu'ils gardaient jalousement par-devers eux.

Maximiliaan rechignait un peu à voir s'éloigner son neveu, sur lequel il avait promis de veiller alors qu'il n'était encore qu'un enfant. Mais ces derniers jours, l'enfant qui lui avait été confié était devenu un adulte, et il ne pouvait plus s'opposer à la réalisation de ses ambitions.

— Eh bien soit, qu'il agisse à sa guise. À la seule condition qu'il ne s'occupe pas des crimes qui sont commis là-bas. Enquêteur ou peintre, il vaut mieux qu'il choisisse sa voie dès maintenant.

Pieter sourit mais ne dit mot. Il n'avait qu'à se fier à sa bonne étoile et attendre les défis que le destin s'amuserait à placer sur son chemin. Il serait alors encore bien temps de faire un choix.

Postface

Une œuvre majeure de Hans Memling :
Le portrait de « Sibylla Sambetha »

Il en va des tableaux comme des destins des hommes : certains marquent plus que d'autres les imaginations et conservent une part de leur mystère à travers les siècles.

Si l'on excepte les œuvres religieuses, cette peinture de jeune femme est l'unique portrait féminin isolé de Hans Memling qui soit parvenu jusqu'à nous. Le modèle du peintre devait probablement appartenir à la haute bourgeoisie flamande de la fin du XVe siècle. En haut à gauche de la toile, un cartouche semble nous renseigner sur l'identité de la jeune femme présentée comme une des sibylles perses qui annonçaient l'arrivée du Christ, mais cet ajout date, selon toute vraisemblance, de la fin du XVIe ou même du début du XVIIe siècle. À l'époque, il était assez courant, lorsque l'on avait perdu la trace du modèle d'un portrait, de lui conférer une nouvelle identité sacrée ou mythique.

En vérité, cinq siècles après la conception de l'œuvre, le mystère de cette jeune femme à l'allure monacale, élégamment vêtue, portant aux doigts quelques anneaux et au cou un pendentif serti de pierres précieuses, demeure entier. Des générations d'historiens de l'art ont analysé son air rêveur et ses mains délicatement posées l'une sur l'autre dont les bouts de quelques doigts sont peints sur le cadre d'origine. Hans Memling avait parfois recours à ce procédé original afin de faire entrer son sujet dans le monde réel en l'aidant à quitter sa prison de toile. Le modèle est représenté sur un fond sombre et porte un habit foncé que seules relèvent deux touches de couleur : olive pour la ceinture et bordeaux pour le corsage. Selon la mode de l'époque, les cheveux découvrent largement le front et sont ramenés en arrière sous une haute coiffe, elle-même surmontée par un voile.

Si les spécialistes ont coutume de dater l'œuvre de 1480, rien n'est absolument certain, ni d'ailleurs en ce qui concerne la possible existence d'un pendant symétrique à l'œuvre. L'absence de charnière sur le cadre ne confirme ni ne dément une pareille possibilité. Pourquoi dès lors ne pas prêter foi à l'imagination de l'auteur de ce roman et imaginer qu'un séduisant banquier italien ait figuré sur un deuxième volet, aujourd'hui mystérieusement disparu…

L'œuvre est exposée dans l'enceinte de l'hôpital Saint-Jean du musée Memling à Bruges. Elle illustre à la perfection l'art consommé du portrait qu'avait atteint Hans Memling, le maître révélant dans ce genre bien particulier toute sa créativité et son génie novateur. Le peintre met le visage en évidence en l'idéalisant à la manière d'un sculpteur qui travaille sa matière. Il rapproche le spectateur de son modèle et met tout en œuvre pour souligner une élégance fragile qu'il considère comme un gage d'harmonie.

Dans une Flandre qui tardait à se défaire des canons du gothique, Hans Memling apparaît bien comme un artiste « moderne » ; mieux, comme un jalon essentiel dans la quête de la légèreté propre à la Renaissance.

Pour en savoir plus

Hans Memling, par Dirk De Vos, Fonds Mercator Paribas, 1994.

La peinture dans les anciens Pays-Bas, par Paul Philippot, Champs Flammarion, 1994.

Visiter le Memlingmuseum, Oud Sint Janshospitaal, Mariastraat 38, 8000 Bruges, Belgique.

Pour l'éditeur, le principe est d'utiliser des papiers composés de fibres naturelles, renouvelables, recyclables et fabriquées à partir de bois issus de forêts qui adoptent un système d'aménagement durable.

En outre, l'éditeur attend de ses fournisseurs de papier qu'ils s'inscrivent dans une démarche de certification environnementale reconnue.

Composition réalisée par Asiatype

Achevé d'imprimer février 2010 – dépôt légal : mars 2010
par LITOGRAFIA ROSÈS (GAVA), en Espagne.
Édition : 01